W9-CKI-412

PEQUEÑO INGENIERO

ELECTRICIDAD & MAGNETISMO

Parramón

ELECTRICIDAD & MAGNETISMO

Editor: Jesús Araújo
Ayudante editorial: Elena Marigó
Textos y ejercicios: Alícia Rodríguez

Otros colaboradores en este volumen:
Anna Claret
Agustín González
Robert Julián
Inés Vilaseca

Diseño gráfico de la colección: Álex Guerrero de Columna Comunicación

Diseño gráfico y maquetación: Comando gráfico, S.L.

Fotografía: Nos & Soto
Corel

Séptima edición

Les Guixeres. C/ de la Energía, 19-21
08915 Badalona (España).
Tel.: 93 323 33 11 – Fax: 93 453 50 33
http://www.parramon.com
E-mail: parramon@paidotribo.com

Producción: Sagrafic, S.L.
ISBN Electricidad & Magnetismo: 978-84-342-2507-7
Impreso en España

Agradecimientos especiales

Josep Mª Barrado
Alícia Pérez
Raig, S.A.

A los niños y las niñas que han hecho de modelos en el libro:

Aitor Albarracín
Esther Alvira
Arnau Blasco
Ricard Durall
Andrea Ferrer
Albert Jové
Héctor Lacalle
Cristina Muñoz
Olga Muñoz (cubierta)
Genís Ramon (contracubierta)
Isaac Royo
Nina Soto (manos en ejercicios)

A los integrantes del colectivo:

AULA DE TECNOLOGIA, S.L.

C/Pérez Galdós, 10, local 2
08012 Barcelona

Sumario

INTRODUCCIÓN

PARA TI

Electricidad & magnetismo es el título de este volumen de la colección *Pequeño Ingeniero*, donde se describen paso a paso 14 ejercicios o prácticas que puedes llevar a cabo tú solo, con la ayuda puntual de un adulto. Lee muy atentamente cada uno de los pasos y las pautas que debes seguir, y comprobarás que no son difíciles, y al mismo tiempo te iniciarás en el interesante mundo de la electricidad y el magnetismo para poder llegar a convertirte en todo un experto.

Electricidad y magnetismo están muy relacionados entre sí. Durante mucho tiempo se sospechó que debía existir alguna relación entre los dos, hasta que en los siglos XVIII y XIX, se descubrió y probó que cuando una corriente eléctrica fluye por un alambre puede producir un campo magnético, y que un campo magnético puede ser utilizado para generar una corriente en un alambre. Es por ello que llamamos electromagnetismo a la rama de la Física que estudia las acciones y reacciones de la electricidad sobre el magnetismo, así como al fenómeno que se produce de la interacción entre los dos.

En la primera parte de este libro, te proponemos realizar prácticas básicamente de electricidad, a excepción de “Mi primer motor eléctrico”, en la que, la energía eléctrica se transforma en mecánica a través de energía magnética; sin embargo, hemos considerado que debemos incluirla en esta primera parte, por tratarse de una máquina motriz que en la actualidad forma parte de muchas máquinas eléctricas. En cambio, en la segunda parte, consideramos interesante que trabajes por un lado la fuerza magnética, como es el caso de “La bailarina magnética”, “Una brújula para no perderse”, “Mi automóvil con mando” y “Una balanza magnética”; y por otro el electromagnetismo como en “Un voltímetro”, “La barrera de paso” y “Un timbre electromagnético”.

EL LIBRO

Cada práctica sigue un mismo esquema de presentación: descripción del ejercicio, objetivos, enumeración del paso a paso que debes seguir para realizarlo, un listado de los materiales o herramientas específicos (a los que debes añadir otros de uso común como sierra, martillo, tijeras, pinceles, papel de lija...), y la respuesta curiosa a un *¿Sabías que…?*, para aumentar tus conocimientos. El *Glosario* te aclarará aquellos conceptos que desconoces o confirmará los que ya sabes.

Electricidad

Los diferentes elementos y receptores eléctricos con los que te vas a introducir en este campo son: portalámparas, bombillitas, *leds*, resistencias, cable eléctrico flexible, cable eléctrico bipolar transparente de altavoz, interruptores y pulsadores, portapilas, hilo y láminas de cobre.

Los materiales de soporte o revestimiento que vas a utilizar para las prácticas de electricidad son: madera, corcho, porexpán, cartulina ondulada, gomaespuma, plástico, aluminio, alambre de aluminio y de hierro, cadena, varillas de hierro y hélice. Además, en algunas de estas prácticas tendrás la oportunidad de construir tus propias poleas de madera, y de aprender a fijar y aislar con tubo termorretráctil, o con la funda de un cable eléctrico, las varillas de hierro o los *leds* para que no se produzca un cortocircuito.

Magnetismo

Los materiales que se emplean en las prácticas de magnetismo son: madera, corcho, caucho, tul, plástico, metacrilato, aluminio, hojalata, alambres de aluminio y de hierro, hilo y láminas de cobre, varillas de hierro (roscadas y sin roscar) e imanes de diferentes formas y tamaños.

LA COLECCIÓN

Seis volúmenes integran la colección: *Construcción & Arquitectura*; *Electricidad & Magnetismo*; *Imagen & Sonido*; *Máquinas & Herramientas*; *Física & Agua* y *Transportes & Comunicación*.

La colección es apropiada para niños a partir de 9 años de edad, aficionados a actividades manuales y de construcción. El interés para los adultos con estas aficiones también puede ser destacable, y sin duda esta colección será una herramienta imprescindible para los profesionales de la enseñanza.

¿Qué debes tener en cuenta al trabajar con electricidad?

- Comprueba que un montaje funciona, antes de realizar el acabado del mismo.
- Si un montaje no funciona, asegúrate de haber realizado correctamente las conexiones y/o no haberte equivocado de polaridad al conectarlo a la pila. (Cuando esto ocurre, algunos montajes dejan de funcionar, otros funcionan pero al revés, por lo que entonces debes cambiar la polaridad).
- Cuando realices conexiones y/o trabajes con electricidad, hazlo siempre bajo la supervisión de un adulto.
- No conectes tus montajes a la red eléctrica, hazlo siempre a una pila.
- Antes de utilizar cualquier aparato eléctrico consulta las instrucciones del fabricante y síguelas.
- No manipules ni repares cables, conexiones y/o aparatos conectados a la red eléctrica.
- No introduzcas metal alguno en los agujeros de los enchufes.
- Vigila que no se moje ningún aparato que esté conectado a la red eléctrica.
- Hay aparatos en los cuales es peligroso tocar los circuitos internos, incluso cuando están apagados. Normalmente esto se indica en sus tapas protectoras.

LOS AUTORES

Aula de Tecnología, S.L. de Barcelona (España) está integrada por un grupo de profesionales, provenientes del campo de la enseñanza, cuya idea y labor es ofrecer toda una serie de conocimientos prácticos y teóricos sobre varias especialidades de lo que solemos llamar Tecnología. En el Aula-Taller se han elaborado todos los ejercicios que propone este libro.

Objetivos del Aula de Tecnología

- Informar, orientar y asesorar a los distintos centros de enseñanza.
- Dar el soporte necesario al profesorado y al alumnado.
- Transmitir conceptos y recursos indispensables a niños y a adultos interesados en esta tarea.
- Proporcionar y suministrar el material didáctico y fungible necesario para los distintos proyectos que se quieran realizar.

Por todo ello, AULA DE TECNOLOGÍA, S.L., dispone de un AULA-TALLER, donde se trabajan todos estos puntos y donde, a su vez, se han creado y elaborado las diferentes prácticas que propone esta obra: *Electricidad & Magnetismo.*

PRÁCTICAS DE ELECTRICIDAD

¿De dónde procede la electricidad?

La producción de energía eléctrica requiere de un proceso tecnológico que se inicia en las centrales eléctricas. En éstas se genera dicha energía a partir de otra primaria, cuyo origen puede ser el agua, el viento, el sol, las reacciones atómicas... Mediante transformadores o acumuladores se transporta a los núcleos urbanos a través de cables colgados de grandes torres metálicas. Una vez llega a su destino, se distribuye por medio de otros cables que pasan por debajo de las calles o por los soportes fijados en las fachadas. A éstos, se conectan las instalaciones eléctricas de cada casa o construcción.

También podemos obtener electricidad a través de pilas y/o baterías, aunque ésta nos servirá simplemente para utilizarla en aparatos de bajo consumo (pequeños aparatos portátiles, juguetes...).

Ventajas, inconvenientes y peligros

De la electricidad, podemos destacar dos grandes **ventajas**: su capacidad para transformarse en otras energías (luz, calor, movimiento...), y la facilidad con que se puede transportar.

También tiene sus **inconvenientes**: la imposibilidad de almacenarla en grandes cantidades (si no se consume, se pierde); los humos nocivos producidos por las centrales térmicas; el riesgo de accidentes en las centrales nucleares...

Hay que tener en cuenta que la electricidad también es **peligrosa**, sobre todo en tensiones superiores a 60V para los adultos y en valores inferiores para los niños.

Conductores y no conductores

Cuando hablamos de corriente eléctrica, nos estamos refiriendo al paso de la electricidad por un conductor. No todos los materiales son buenos conductores de electricidad: por ejemplo, el plástico o el cristal son malos conductores, mientras que la mayoría de metales permiten que la corriente fluya fácilmente.

Tipos de corriente según su sentido

• Corriente continua (CC). Es la corriente eléctrica que fluye en una dirección. Este tipo de corriente es la de una pila o batería.

• Corriente alterna (CA). Es la corriente eléctrica que fluye en ambas direcciones, de forma alterna, en un circuito. Es la corriente que llega a las casas.

PROCESO QUE SIGUE LA ELECTRICIDAD EN UN CIRCUITO ELÉCTRICO

Un circuito eléctrico es un conjunto de elementos, que enlazados permiten la circulación de la corriente eléctrica. Para disponer de un circuito eléctrico sencillo de CC, necesitamos al menos tres elementos:

- *Generador (pila o batería).* Impulsa los electrones a través del circuito.
- *Conductor (cable eléctrico).* Enlaza los componentes y permite el paso de los electrones.
- *Receptor (bombilla).* Transforma la energía eléctrica en otra útil.

Tipos de conexiones

Al decir conexión nos referimos al hecho de enlazar los diferentes elementos de un circuito eléctrico. Se pueden realizar tres tipos de conexiones:

• **Conexión en serie.** Dos o más elementos conectados uno detrás de otro. El polo positivo del primero y el negativo del último son los terminales del circuito.

• **Conexión en paralelo.** Los extremos de un elemento coinciden con los extremos del otro. Los polos positivos se conectan por un lado y los negativos por otro. Así, el terminal positivo es la unión de todos los positivos, y el negativo la unión de los negativos.

• **Conexión mixta.** Cuando coexisten los dos tipos de conexión.

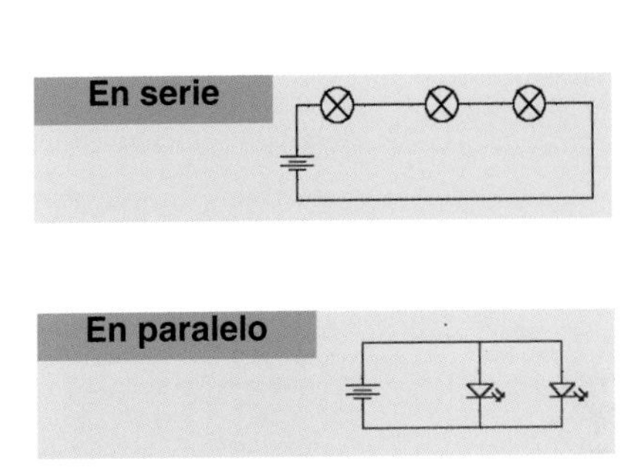

¡PRACTICA LA LECTURA DEL ESQUEMA DE UN CIRCUITO ELÉCTRICO!

Para que en un circuito se produzca corriente eléctrica se deben dar tres condiciones:

• El circuito debe empezar en un polo del generador (pila) y acabar en el otro.

• Todos los componentes del circuito deben estar conectados entre sí.

• No se puede interrumpir el camino de los electrones. Si el circuito está abierto, la corriente eléctrica no fluye. Los interruptores permiten abrir o cerrar un circuito voluntariamente.

Los circuitos eléctricos se pueden representar mediante esquemas, donde cada elemento tiene su símbolo.

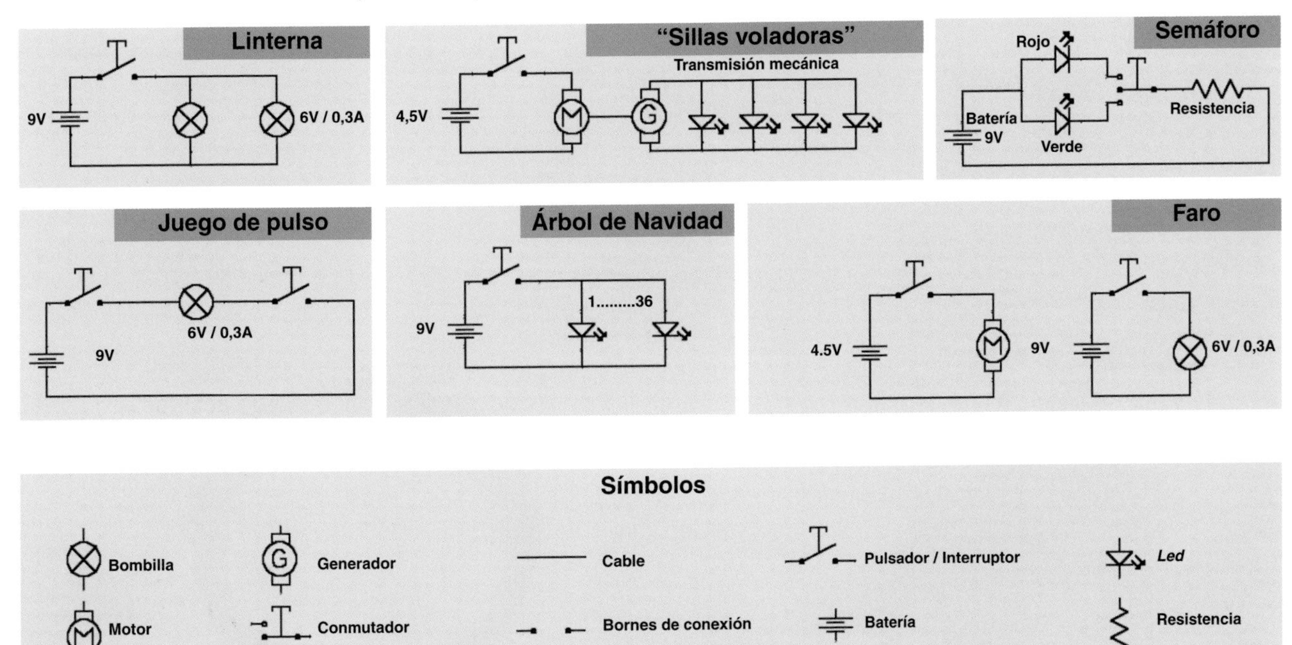

Una linterna portátil

La linterna, para proyectar su luz, precisa de un circuito eléctrico muy sencillo. Por eso, te costará poco esfuerzo construir una.

Objetivos

- Estudiar qué es la corriente eléctrica y enumerar sus distintas aplicaciones.
- Valorar la importancia de la energía eléctrica en nuestra vida cotidiana.
- Realizar un montaje eléctrico sencillo con dos bombillas, un interruptor y una pila.

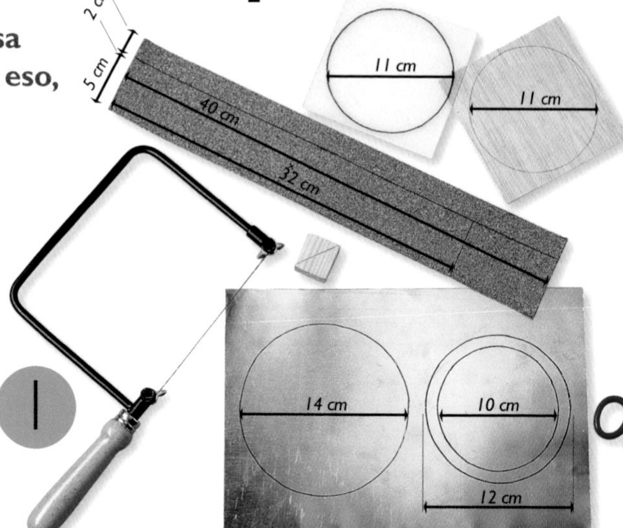

1

Traza y corta en la plancha, pieza de madera y láminas todo lo indicado en la imagen. Haz en el corcho un agujero de 1,8 cm de diámetro. Pinta el aro de aluminio de color verde.

- *Plancha de contrachapado cuadrada de 12 cm de lado y 3 mm de grosor*
- *Tira de corcho de 40 cm de largo × 7 cm de ancho, y 5 mm de grosor*
- *Pieza de madera cuadrada de 3 cm de lado y 20 mm de grosor*
- *Lámina fina de aluminio de 30 cm de largo × 20 cm de ancho*
- *Plástico fino, rígido, translúcido de 12 cm de lado*
- *Dos portalámparas de rosca metálica*
- *Dos bombillitas de rosca*
- *Interruptor de dos posiciones*
- *Cable eléctrico flexible*
- *Clip portapilas de 9V con cable de 16 cm de largo*
- *Dos tornillos de cabeza redonda de 2,9 mm de diámetro y 9,5 mm de largo*
- *Destornillador plano*
- *Cola blanca*
- *Lima para hierro pequeña*
- *Cinta adhesiva de papel*
- *Pintura verde*
- *Pila de 9V*

2

Encola la tira de corcho más ancha y refuérzala con cinta adhesiva de papel. Fíjala a la base de contrachapado, y pega en ella las piezas de madera enfrentadas, por su lado de 3 cm. Pinta de color verde el exterior de la caja.

Para la tapa, forma un aro con la tira de corcho estrecha, y pégalo sobre el aro de aluminio y el círculo de plástico.

3

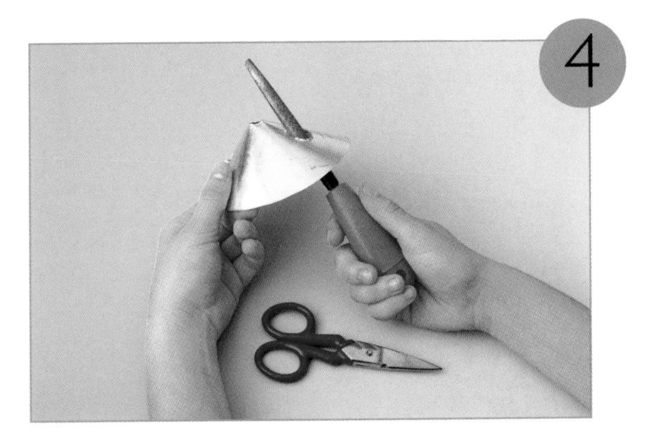

4

En el centro del círculo de aluminio, marca y corta una circunferencia de 2 cm de diámetro. Monta el cono con grapas y realiza con las tijeras dos agujeros de 1,5 cm de diámetro por donde asomarán las bombillitas. Lima un poco las rebabas para evitar que corten.

5

Corta las dos primeras vueltas de cada portalámparas y cuatro trozos de 10 cm de cable eléctrico para realizar las siguientes conexiones: dos cables deben ir de los portalámparas a un terminal del interruptor y, los otros dos, de un soporte de cada portalámparas al cable rojo del clip portapilas. Su cable negro debe conectarse a otro terminal del interruptor.

6

Coloca el interruptor en el agujero de la caja, de manera que todas las conexiones queden en su interior, y fija cada portalámparas a una pieza de madera. Conecta la pila, introduce el cono de aluminio en la caja, y enrosca las bombillitas en los portalámparas.

Pon la tapa encima de la caja y tu linterna ya estará lista para alumbrarte el camino.

¿Sabías que...

en el año 1800 el físico italiano Alessandro Volta construyó la primera pila eléctrica? Las pilas eléctricas son aparatos que transforman la energía producida por una reacción química en energía eléctrica.

Mi primer motor eléctrico

Si realizas el siguiente montaje, aprenderás cómo se transforma la energía eléctrica en energía mecánica y verás la relación que mantiene la electricidad con el magnetismo.

Objetivos

- Definir qué es un motor eléctrico y diferenciar sus dos partes fundamentales: la fija (estator) y la giratoria (rotor).
- Experimentar con los fenómenos eléctrico y magnético, y relacionarlos.
- Enumerar aparatos y máquinas que funcionan por la acción de un motor eléctrico.

- *Plancha de contrachapado de 25 cm de largo × 14 cm de ancho, y 3 mm de grosor*
- *Tablero de aglomerado de 24 cm de largo × 15 cm de ancho, y 10 mm de grosor*
- *Dos imanes de 4,7 cm de largo × 2 cm de ancho, y 15 mm de grosor*
- *Hélice de plástico*
- *Lámina fina de cobre de 5 cm de largo × 1 cm de ancho*
- *Tira fina de cobre de 18 cm de largo × 0,2 cm de ancho*
- *Cilindro de corcho (tapón) de 4 cm de largo × 2 cm de diámetro*
- *Cable eléctrico flexible*
- *Portapilas de cuatro pilas*
- *Cuatro pilas de 1,5 V*
- *Hilo de cobre esmaltado de 12 m de largo y 0,5 mm de grosor*
- *Varilla de hierro de 10 cm de largo × 0,3 cm de diámetro*
- *Destornilladores plano y de estrella (nº 8)*
- *Dos tornillos de cabeza redonda de 2,9 mm de diámetro y 9,5 mm de largo*
- *Cinta aislante roja*
- *Pinturas roja y dorada*
- *Pulsador*
- *Cola blanca*

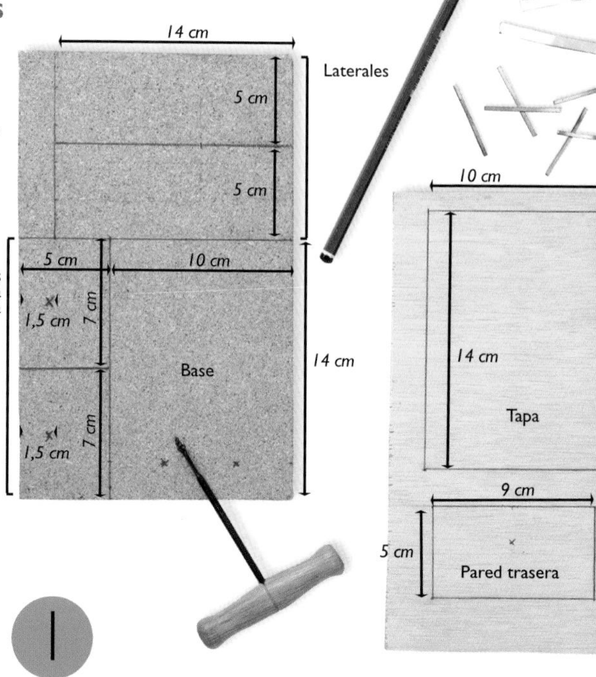

1

Dibuja y corta todas las piezas de la caja del motor y realiza los agujeros marcados. Pinta todo en dorado menos la base en rojo. Corta la lámina de cobre en dos trozos de 5 cm de largo × 0,5 cm de ancho (escobillas), y en seis de 3 cm de largo × 0,2 cm de ancho (2 delgas y 4 topes), la tira de cobre.

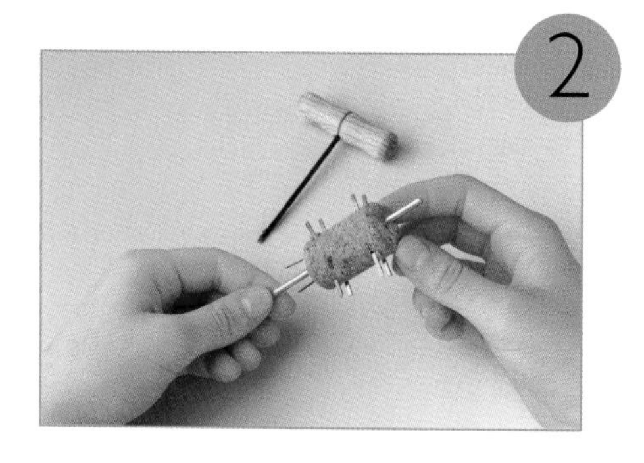

2

Para construir el rotor, atraviesa el cilindro de corcho con el eje, y coloca dos delgas en uno de sus extremos. En los laterales del corcho introduce cuatro topes.

Bobina el hilo de cobre entre los topes. En la base, fija las escobillas con dos tornillos en los que habrás enroscado un trozo de cable de 30 cm.

3

Encola un imán en cada lateral, a 2 cm de la base y a 3 cm del extremo "delantero". Los imanes deben atraerse. Monta la caja con la pared media y los dos laterales, con sus imanes en el interior.

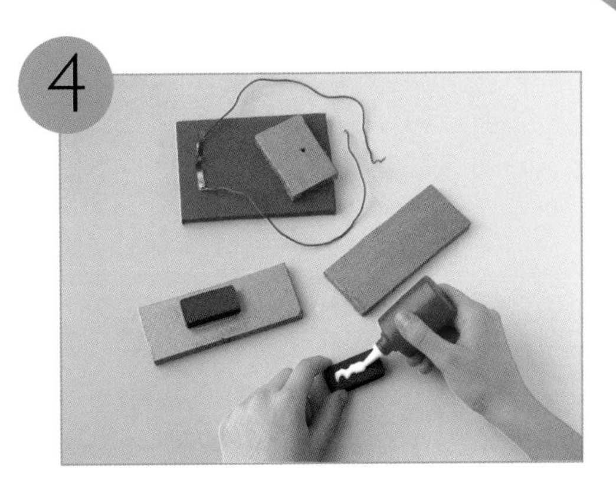

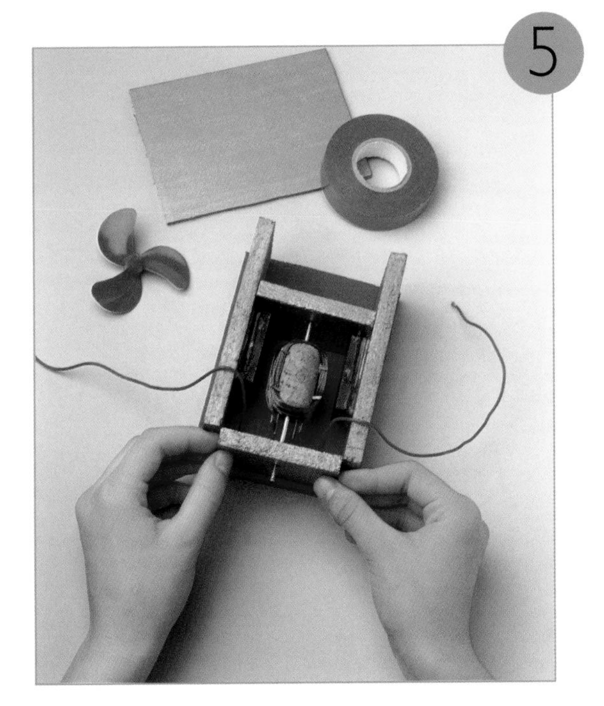

Sitúa el rotor en el interior de la caja, pasando el eje por el agujero de la pared media, y encolando después la pared delantera. En este extremo del eje coloca la hélice, pega la pared trasera y coloca la tapa del motor; en este caso, utiliza la cinta aislante como bisagra.

Las conexiones deben hacerse de la siguiente manera: uno de los cables de las escobillas a un terminal del pulsador, el otro al cable negro del portapilas, y el cable rojo de éste al otro terminal del pulsador.

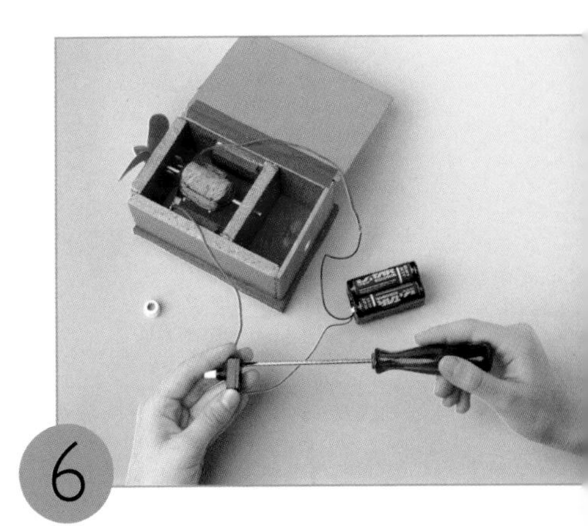

Fija el pulsador a la pared trasera, coloca el portapilas en el interior de la caja y tu motor ya puede girar.

¿Sabías que...

en 1820 el físico y químico danés Hans Oersted descubrió el electromagnetismo a través de un célebre experimento en el que se ve cómo una aguja imantada se desvía si está cerca de una corriente eléctrica? Un año después, el científico británico Michael Faraday describió el principio de la dinamo y diseñó el primer motor eléctrico.

Las "sillas voladoras"

Los tiovivos y las "sillas voladoras" de todo tipo no suelen faltar en ferias y parques de atracciones. Aunque te parezca un montaje complicado, sigue estos pasos y verás cómo lo consigues.

Objetivos

- Comprobar que en función del giro de un motor, éste genera la corriente en un sentido u otro.
- Introducir elementos de mecánica relacionados con la electricidad.
- Analizar el funcionamiento de mecanismos sencillos y la transmisión de movimiento a través de poleas.

- *Plancha de contrachapado de 50 cm de largo × 46 cm de ancho, y 3 mm de grosor*
- *Listón de madera de 10 cm de largo × 4 cm de ancho, y 20 mm de grosor*
- *Varilla de madera de 25 cm de largo × 1 cm de diámetro*
- *Dos poleas de latón de 0,8 cm de diámetro exterior y ajustables a ejes de 2 mm*
- *Lámina fina de cobre de 18 cm de largo × 1 cm de ancho*
- *Dos piezas de corcho de 3 mm de grosor: una de 62 cm de largo × 4,5 cm de ancho, y otra de 22 cm de largo × 13,5 cm de ancho*
- *Gomaespuma roja de 22,5 cm de largo × 5,5 cm de ancho, y 2 mm de grosor*
- *Destornilladores plano y de estrella (nº 8 y 10)*
- *Cuatro leds (uno amarillo, uno verde y dos rojos)*
- *Cartulinas onduladas roja, amarilla y lila*
- *Dos puntas de hierro de 15 mm de largo*
- *Tira de flecos de 64 cm de largo*
- *Cadena estrecha de 2 m de largo*
- *Cable eléctrico flexible*
- *Dos motores pequeños*
- *Portapilas de cuatro pilas*
- *Regla de circunferencias*
- *Rotulador negro de punta fina*
- *Pinturas blanca, roja y dorada*
- *Cuatro pilas de 1,5V*
- *Goma elástica*
- *Pulsador*
- *Cola blanca*
- *Grapadora*

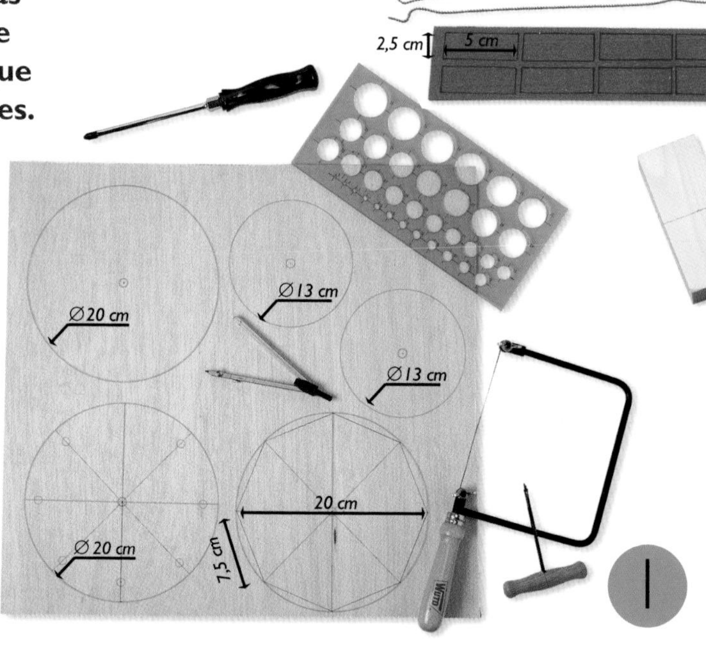

1

Dibuja en el contrachapado las piezas de tus "sillas voladoras", córtalas, realiza los agujeros marcados y píntalas de color dorado. Marca y corta con las tijeras los asientos de gomaespuma. Divide la cadena en ocho trozos de 25 cm de largo y el listón de madera en dos trozos de 5 cm.

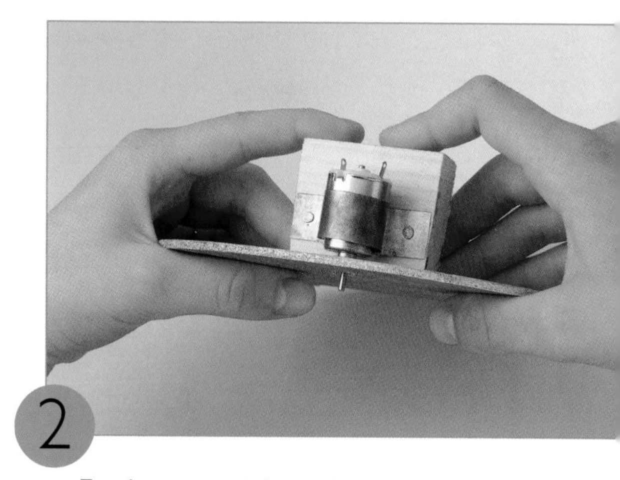

2

En el reverso del círculo de contrachapado con ocho agujeros, pega los dos listones de madera y fija con las tiras de cobre un motor en cada uno, pasando los ejes por los agujeros que les corresponden.

Realiza las conexiones de los *leds*: con trozos de cable eléctrico, une cada polo negativo de los *leds (extremo corto)* con un terminal del motor generador de corriente, y cada polo positivo con su otro terminal.

3

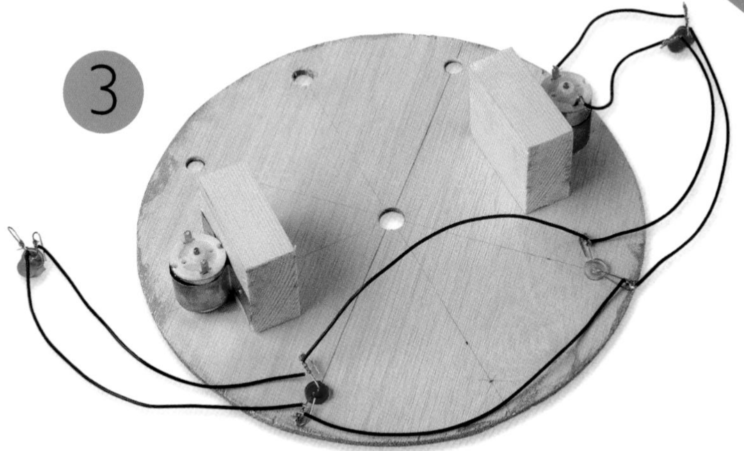

4

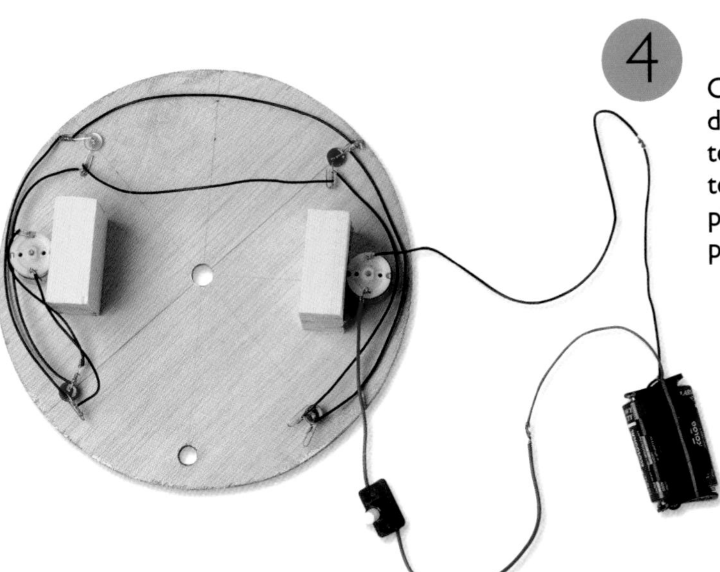

Corta tres trozos más de cable y conecta un terminal del pulsador a un terminal del segundo motor, el otro terminal del pulsador al cable rojo del portapilas, y el otro terminal del motor al cable negro del mismo. Coloca las pilas: si no se encienden los *leds*, debes cambiar la polaridad invirtiendo las conexiones del portapilas.

5

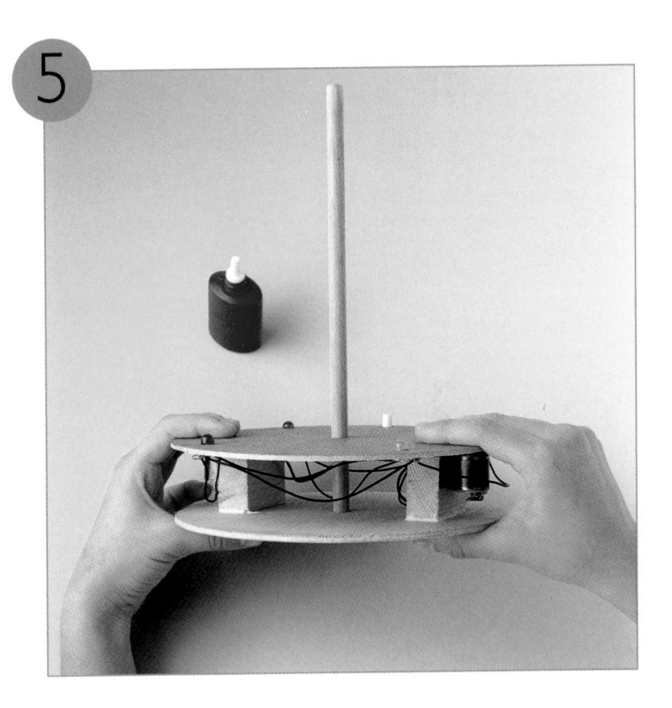

Gira el círculo, coloca la varilla y encola los listones sobre el otro círculo de contrachapado, de manera que los *leds*, las conexiones, los motores, las pilas y el pulsador queden en el interior.

6

Para construir la polea de contrachapado, lija el perímetro de los dos círculos pequeños al biés y pégalos entre sí.

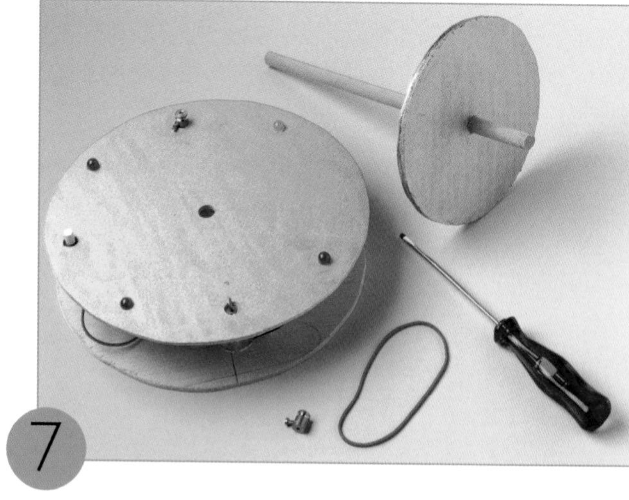

7

Ajusta una polea de latón en cada uno de los ejes de los motores, introduce la polea de contrachapado y fíjala con un poco de cola blanca a la altura de las otras poleas. Coloca la goma elástica.

8

Con la lámina de corcho de 22 cm de largo × 13,5 cm de ancho, realiza un cilindro, sujétalo con cinta adhesiva de papel, y píntalo de color dorado. Una vez seco, introdúcelo por la varilla y encólalo sobre la polea de contrachapado.

9

Pinta la otra pieza de corcho con una cenefa blanca y roja, y pégala alrededor de los dos círculos de contrachapado de la base. Deja un trozo sin tapar para poder cambiar la pila.

10

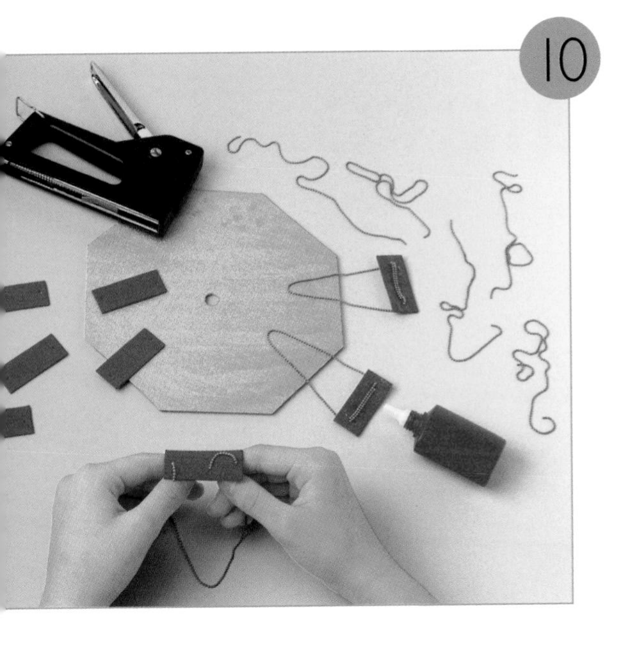

Para montar los asientos, introduce en los agujeros de cada rectángulo de gomaespuma un trozo de cadena y pega sus extremos por debajo con cola blanca. Grapa cada cadena por su mitad en la parte inferior del octágono de contrachapado.

11

Recorta ocho triángulos de las cartulinas onduladas (3 amarillos, 2 rojos y 3 lilas) y pega la base de cada uno en uno de los lados del octágono para formar la cubierta. Encola la tira de flecos alrededor de la figura y coloca toda la estructura en la parte superior de la varilla.

Pon en marcha las sillas y verás cómo giran, al mismo tiempo que se encienden sus lucecitas.

¿Sabías que...

los primeros tiovivos (carruseles) modernos fueron creados por Gustav Dentzel a principios del siglo XIX? En 1837, este artesano alemán construyó el primer tiovivo, que consistía en una plataforma de madera con círculos concéntricos de animales atados a un poste central. El inventor llegó a crear un acompañamiento musical para el paseo y a colgar lámparas de aceite alrededor para encenderlas por la tarde.

Un semáforo

Los semáforos son aparatos eléctricos de señales luminosas que se utilizan para regular el tráfico. Ahora puedes construir uno y controlar la circulación de tus automóviles de juguete.

Objetivos

- Trabajar un circuito eléctrico sencillo con *leds*, resistencia, pila e interruptor.
- Estudiar las propiedades de las resistencias en electricidad.
- Comentar la importancia del semáforo en el ámbito de la seguridad vial.

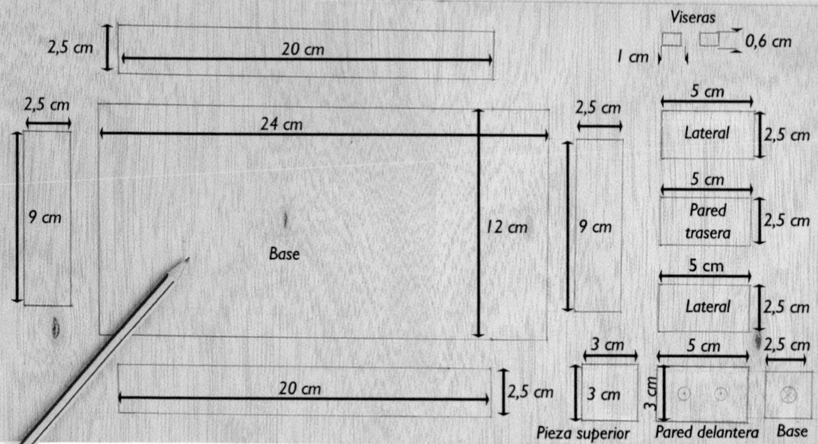

1

En la plancha de contrachapado, dibuja todas las piezas del semáforo y córtalas. Para hacer los agujeros, utiliza barrena y destornilladores de estrella. Pinta de amarillo las paredes del semáforo y sus viseras.

- *Plancha de contrachapado de 46 cm de largo × 23 cm de ancho, y 3 mm de grosor*
- *Listón de madera de 9 cm de largo × 2 cm de ancho, y 15 mm de grosor*
- *Tubo de cobre de 12 cm de largo × 1 cm de diámetro*
- *Dos leds (uno rojo y otro verde)*
- *Pinturas amarilla, negra, blanca y gris metálico oscuro*
- *Resistencia de 1 kW*
- *Regleta de cuatro conexiones*
- *Cable eléctrico flexible (utiliza rojo, verde y negro para diferenciar las conexiones)*
- *Tres tornillos de cabeza redonda de 2,9 mm de diámetro y 9,5 mm de largo*
- *Tres tornillos M3 de 16 mm de largo*
- *Tres tuercas M3*
- *Dos arandelas de 4 mm de diámetro*
- *Destornilladores plano y de estrella (nº 8 y 10)*
- *Regla de circunferencias*
- *Tres clips metálicos*
- *Pila de 9V*
- *Cola blanca*

2

Dobla los terminales de los *leds* y colócalos en la regleta de conexiones: el terminal positivo del rojo en un extremo, y el negativo del verde en el otro. Debajo de los positivos, ajusta dos cables (rojo para el *led* rojo y verde para el verde), une los dos negativos con cable negro y conecta al negativo del *led* rojo otro cable negro.

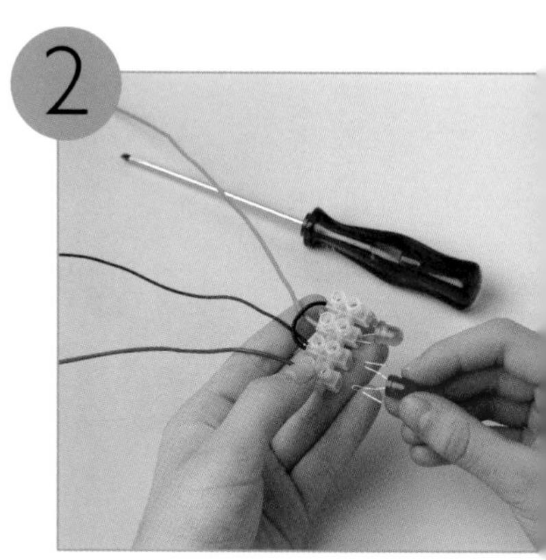

3

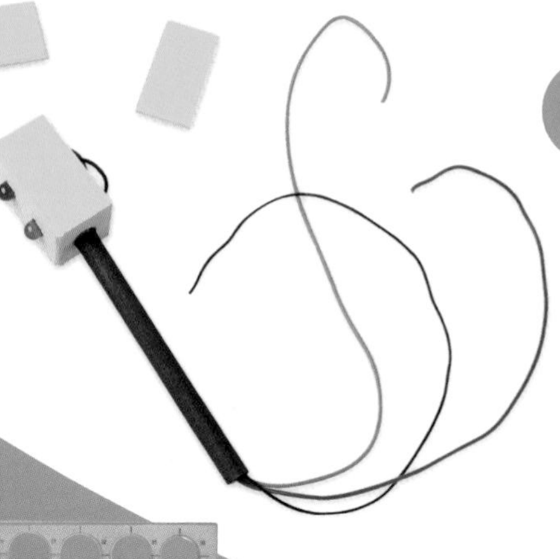

Fija los *leds* a la pared delantera de la caja y, tras pintar el tubo de gris metálico oscuro, pégalo a su base e introduce los cables en él. Termina de montar la caja, sin fijar la pared trasera para tener acceso a las conexiones.

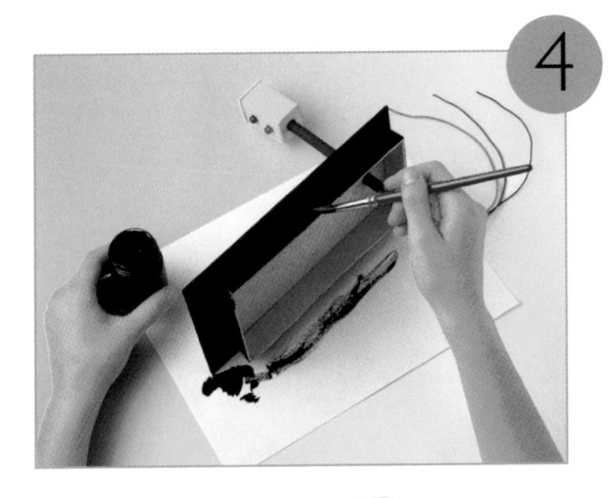

4

En la base del semáforo, haz un agujero e introduce el tubo de cobre con los cables. Encola las piezas de soporte de la base y píntalas por fuera de color negro.

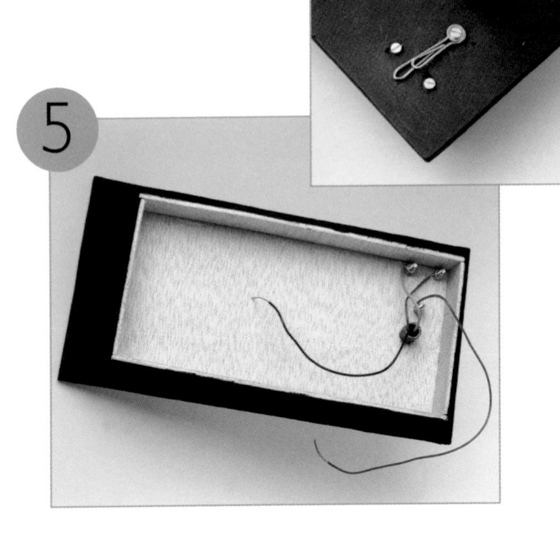

5

Cerca del tubo de cobre, realiza tres agujeritos y fija en el que está más cerca un tornillo con dos arandelas y un clip. En los otros dos, sólo un tornillo. Realiza las conexiones que ves en la fotografía.

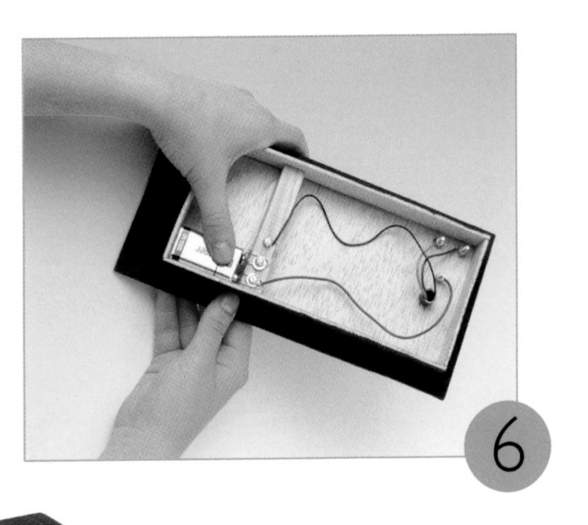

6

Encola el listón de madera en la parte inferior de la base, a 5 cm de la pieza del lado opuesto al tubo. Fija tres tornillos y realiza las dos conexiones restantes, poniendo la resistencia y un clip en dos de ellos (conductores de la corriente). Coloca la pila, de manera que haga contacto con estos clips.

Pega una visera encima de cada *led*, y pinta un paso de cebra para los peatones.

¿Sabías que...

en las principales arterias de las ciudades, los semáforos se hallan sincronizados y su funcionamiento se controla a través de un ordenador? Aunque nuestro semáforo tiene sólo dos luces de colores (como los de peatones) la mayoría tiene tres: roja, ámbar y verde.

Mi juego de pulso

Existen muchos juegos que ponen a prueba tu pulso y habilidad. Ahora puedes construirte uno con un circuito eléctrico muy sencillo, e invitar a tus amigos a jugar.

Objetivos

- Describir la función que ejerce cada uno de los materiales y componentes del montaje en relación con la electricidad: receptores, transmisores o aislantes.
- Construir un interruptor sencillo con tornillos, arandelas, tuercas y un clip metálico.

- *Plancha de contrachapado de 30 cm de largo × 7 cm de ancho, y 3 mm de grosor*
- *Dos listones de madera: uno de 5 cm de largo × 2,5 cm de ancho, y 15 mm de grosor, y otro de 12 cm de largo × 2 cm de ancho, y 10 mm de grosor*
- *Varilla de madera de 6 cm de largo × 1,5 cm de diámetro*
- *Alambre de 50 cm de largo y 2 mm de grosor*
- *Clip portapilas de 9V con cable bipolar de 16 cm de largo*
- *Destornillador plano y de estrella (nº 10)*
- *Pinturas anaranjada, verde y amarilla*
- *Portalámparas de rosca metálica*
- *Hembrilla cerrada de 20 × 70 mm*
- *Cuatro tornillos M3 de 16 mm de largo*
- *Tres arandelas de 3 mm de diámetro*
- *Dos puntas de hierro de 15 mm de largo*
- *Cinco tuercas M3*
- *Cable eléctrico flexible*
- *Bombillita de rosca*
- *Clip metálico*
- *Pila de 9V*
- *Alicates*
- *Cola blanca*
- *Brida*

1

En el contrachapado, dibuja la silueta de un animal y una semicircunferencia con 6 "rayos". Córtalo todo, pega los "rayos" a la semicircunferencia y, con barrena y destornillador de estrella, haz los tres agujeros marcados. Para sostener esta estructura, clava dos trozos de listón por su parte trasera.

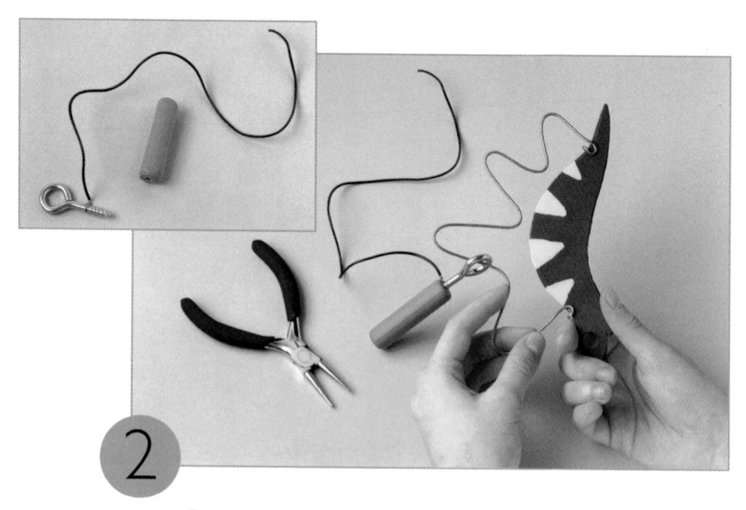

2

Pinta las piezas y enrosca un trozo de cable a la hembrilla, que debes introducir en la varilla. Dobla con los alicates el alambre rígido (la "cresta"), y fíjalo a la estructura por sus extremos, teniendo en cuenta que la hembrilla debe quedar dentro.

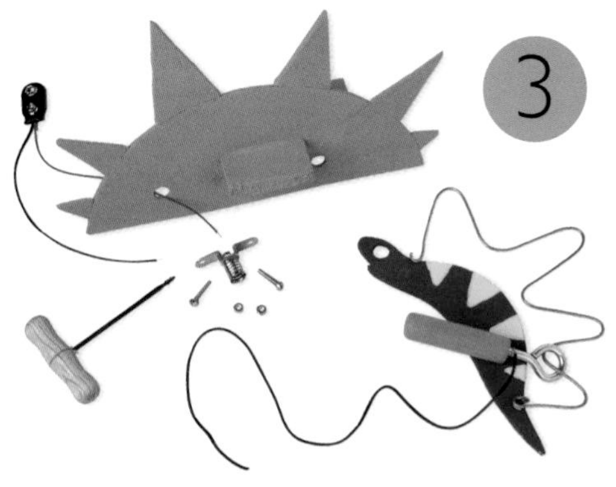

3

Pega horizontalmente el otro listón a la parte delantera de la estructura. Introduce el cable rojo del clip portapilas por un agujero de la semicircunferencia y enróscalo al tornillo del portalámparas. Fija éste a la estructura.

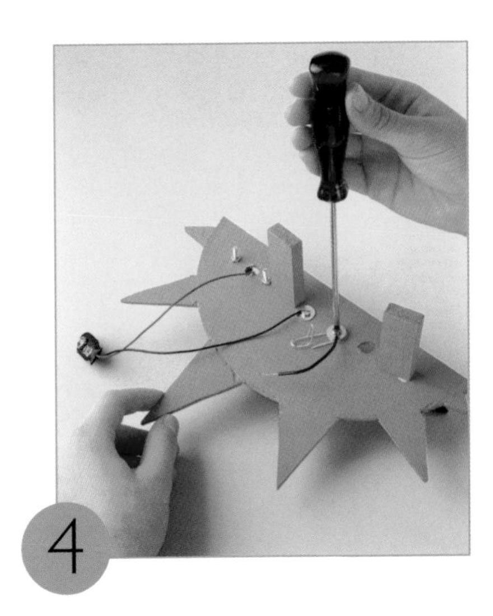

Para montar el interruptor en la parte trasera, haz dos agujeros entre los listones y fija en uno de ellos, un tornillo con el cable negro del portapilas y una arandela; y en el otro, un tornillo, una arandela, un clip, un trozo corto de cable y otra arandela.

4

5

Pega el animal sobre el listón horizontal y, tras pasar el trozo corto de cable por el agujero, enróscalo al alambre rígido ajustado en la cola.

6

Fija el cable suelto de la hembrilla a uno de los tornillos del portalámparas. Coloca la pila, sujétala junto a los cables con una brida, y enrosca la bombilla al portalámparas.

¡Sitúa el clip metálico encima del tornillo para que el circuito eléctrico quede cerrado, y empieza a jugar!

¿Sabías que...

puedes cambiar el sistema de aviso de fallo de este juego de pulso? Si quieres que suene un timbre cada vez que roces el alambre con la hembrilla, sólo tienes que sustituir la bombillita por un pequeño zumbador.

Mi árbol de Navidad

En muchas culturas se decora un abeto u otro árbol con motivo de las fiestas de Navidad. Revive ahora la emoción de esas fechas construyendo tu propio árbol y decorándolo con todos los *leds* que quieras.

Objetivos

- Estudiar las diferencias entre la conexión en serie y la conexión en paralelo.
- Conocer la importancia de aislar bien los materiales para evitar cortocircuitos.

- *Cable eléctrico bipolar transparente de altavoz de 5 m de largo y 1,8 mm de grosor (hay que separar los dos cables y utilizar el plateado para las conexiones y 75 cm del dorado para pelar trozos de 1 cm que servirán de funda para los leds)*
- *Plancha de contrachapado de 48 cm de largo × 24 cm de ancho, y 3 mm de grosor*
- *Pieza de corcho cuadrada de 24 cm de lado y 30 mm de grosor*
- *Tubo de plástico de 35 cm × 1,5 cm de diámetro*
- *Alambre de 3 m de largo y 1,5 mm de grosor*
- *Destornilladores plano y de estrella (nº 5, 8 y 15)*
- *Tubo termorretráctil de 135 cm de largo × 0,5 cm de diámetro*
- *36 leds (14 rojos, 11 amarillos y 11 verdes)*
- *Clip portapilas de 9V con cable bipolar de 16 cm de largo*
- *Pinturas gris plateado y gris metálico oscuro*
- *Pila de 9V*
- *Pulsador*

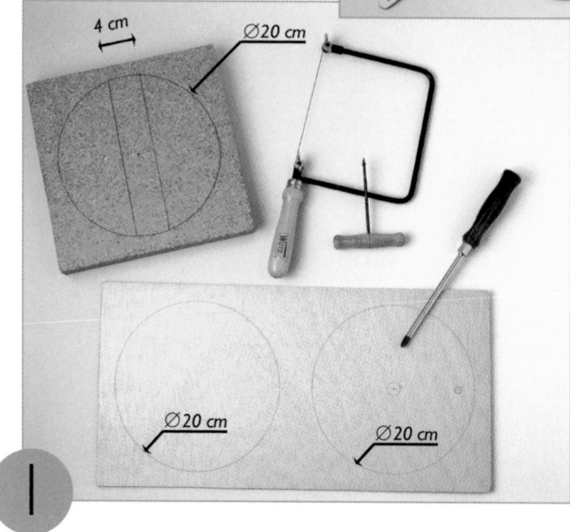

1

Dibuja en el corcho y el contrachapado las piezas de la base, córtalas y realiza los agujeros. Pega los dos segmentos de corcho sobre el círculo de contrachapado sin agujeros y píntalo todo de color gris metálico oscuro.

2

En un lateral del tubo de plástico (tronco), señala tres puntos a 5, 15 y 25 cm de un extremo, y, en el otro lateral, tres puntos a 10, 20 y 30 cm del mismo extremo. Con la punta caliente de un destornillador de estrella (nº 5), atraviesa el tubo por estos puntos y píntalo gris plateado.

Trenza el alambre y córtalo en seis trozos (ramas): dos de 30 cm y los demás de 25, 20, 15 y 10 cm. Enfúndalos con tubo termorretráctil y pásalos por el mechero de alcohol. Introduce y pega las ramas en el tronco y éste en la base.

3

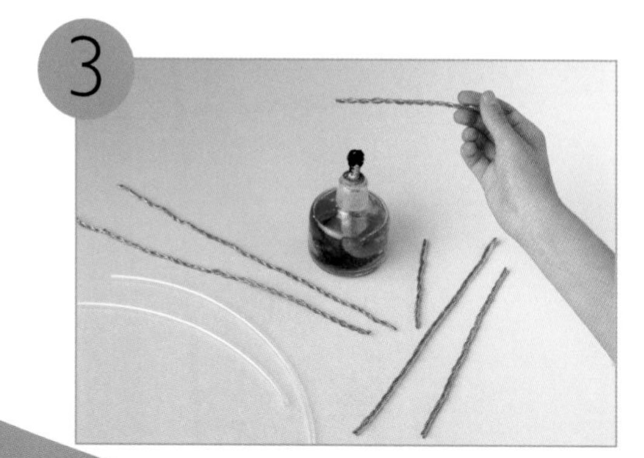

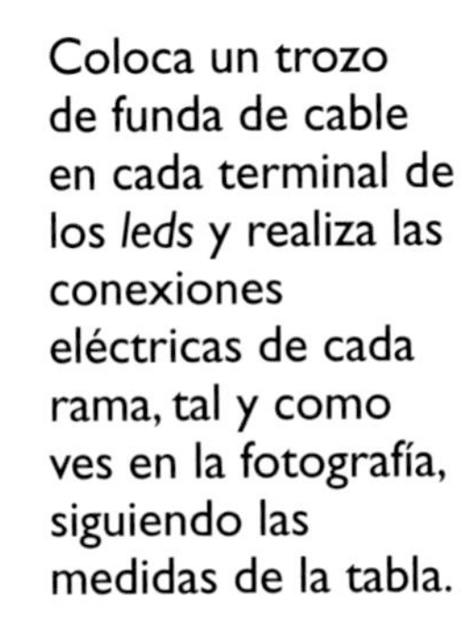

Coloca un trozo de funda de cable en cada terminal de los *leds* y realiza las conexiones eléctricas de cada rama, tal y como ves en la fotografía, siguiendo las medidas de la tabla.

RAMAS 1 y 2: ocho cables de 15 cm con tres marcas, separadas por 3 cm (4 *leds*)
RAMA 3: cuatro cables de 12 cm con dos marcas, separadas por 3 cm (3 *leds*)
RAMA 4: cuatro cables de 10 cm con dos marcas, separadas por 2 cm (3 *leds*)
RAMA 5: cuatro cables de 7 cm con una marca a 2 cm del extremo (2 *leds*)
RAMA 6: cuatro cables de 5 cm con una marca a 1,5 cm del extremo (2 *leds*)

4

5

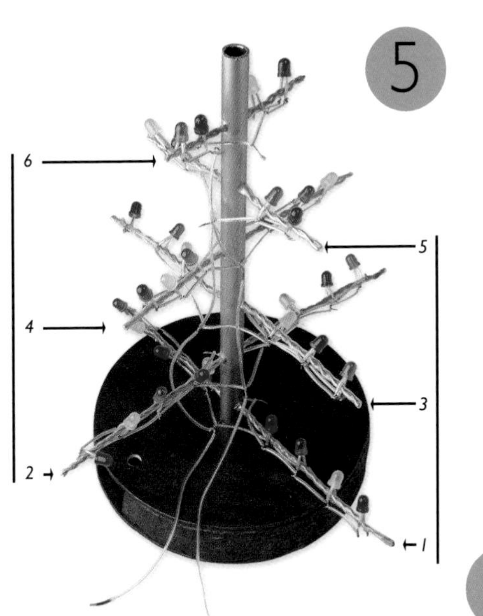

Para las conexiones centrales, debes unir todos los cables de los terminales positivos con seis trozos de 12 cm de cable, tal y como se indica en la fotografía, y repetir lo mismo con los cables de los terminales negativos.

6

Los dos cables resultantes de la unión de los terminales negativos deben conectarse a un extremo del pulsador, los de los positivos (marcados) al cable rojo del clip portapilas y el cable negro de éste al otro extremo del pulsador. Fija el círculo superior sobre el corcho, coloca el pulsador en su sitio y conecta la pila al clip.

Esconde los cables en el interior de la base y termina de decorar tu árbol de Navidad con una bonita estrella verde.

¿Sabías que...

las primeras referencias al árbol de Navidad actual datan del siglo XVI? Se dice que esta tradición nació en Alemania, promovida por Martín Lutero, padre del protestantismo.

El faro de la costa

Los faros son unas torres altas que emiten ráfagas de luz y que, durante muchos años, sirvieron para que los navegantes se guiaran con sus barcos en la oscuridad. Con estos pasos, verás lo fácil que es realizar uno que ilumina y gira al mismo tiempo.

Objetivos

- Trabajar en un mismo montaje las áreas de electricidad y mecánica.
- Introducir algunos elementos básicos de la mecánica, como las poleas.
- Estudiar la importancia de los faros a lo largo de la historia de la navegación.

- *Tablero de aglomerado de 33 cm de largo × 14 cm de ancho, y 10 mm de grosor*
- *Dos planchas de contrachapado de 3 mm de grosor: una de 20 cm de largo × 45 cm de ancho, y otra de 30 cm de largo × 25 cm de ancho*
- *Dos láminas de corcho de 3 mm de grosor: una de 30 cm de largo × 32 cm de ancho, y otra de 32 cm de largo × 15 cm de ancho*
- *Pieza de porexpán de 10 cm de largo × 80 cm de ancho, y 30 mm de grosor*
- *Varilla de madera de 42 cm de largo × 1 cm de diámetro*
- *Lámina fina de cobre de 10 cm de largo × 2 cm de ancho*
- *Lámina fina de aluminio de 7,5 cm de largo × 4 cm de ancho*
- *Plástico fino translúcido de 25 cm de largo × 4,5 cm de ancho*
- *Alambre de 20 cm de largo y 1 mm de grosor*
- *Portalámparas de rosca metálica*
- *Pinturas negra, gris y gris con textura de piedra*
- *Polea de latón de 0,6 cm de diámetro exterior y ajustable a un eje de 2 mm*
- *Clip portapilas de 9V con cable bipolar de 16 cm de largo*
- *Portapilas de tres pilas de 1,5V*
- *Tres tornillos M3 de 16 mm de largo*
- *Destornilladores plano y de estrella (nº 10)*
- *Dos arandelas de 4 mm de diámetro*
- *Dos gabarrotes de 6 mm de largo*
- *Cinta adhesiva de papel*
- *Cinta adhesiva transparente*
- *Bombillita de rosca*
- *Dos clips metálicos*
- *Dos gomas elásticas*
- *Cable eléctrico flexible*
- *Siete tuercas M3*
- *Tres pilas de 1,5V*
- *Pila de 9V*
- *Alicates*
- *Cola blanca*
- *Motor pequeño*

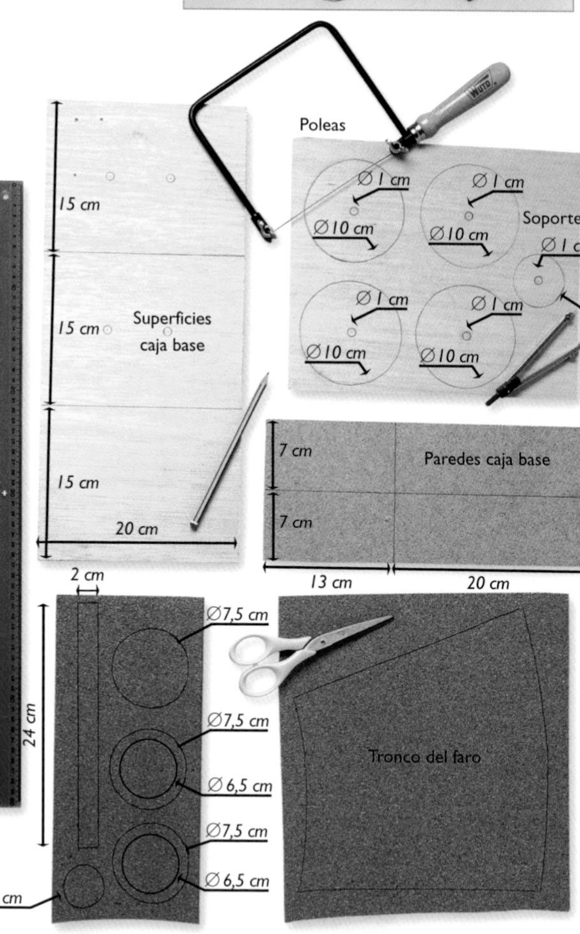

1 Dibuja en el contrachapado, el corcho y el aglomerado las piezas que formarán tu faro. Córtalas y realiza los agujeros marcados, con barrena y destornillador. Pinta las piezas que sea necesario.

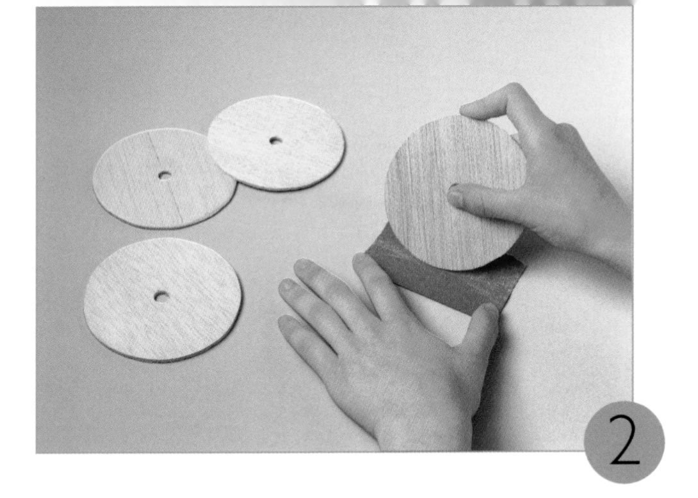

2

Para construir las poleas que harán girar el faro, lija al biés el perímetro de los cuatro círculos cortados y pégalos de dos en dos.

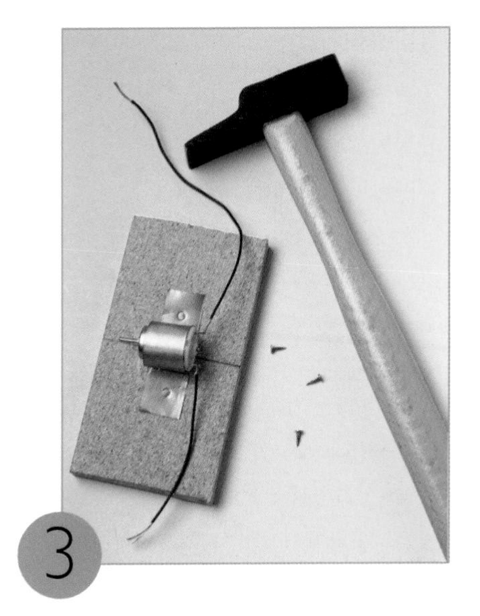

3

En uno de los laterales de la base del faro, fija el motor, tal y como ves en la fotografía. En un terminal, conecta un cable de 10 cm y en el otro, uno de 15 cm.

4

Monta la base del faro con la plancha con dos agujeros, la plancha sin agujerear y tres laterales. Deja sin pegar uno de los laterales y la plancha con cinco agujeros, para que sea más fácil hacer el montaje.

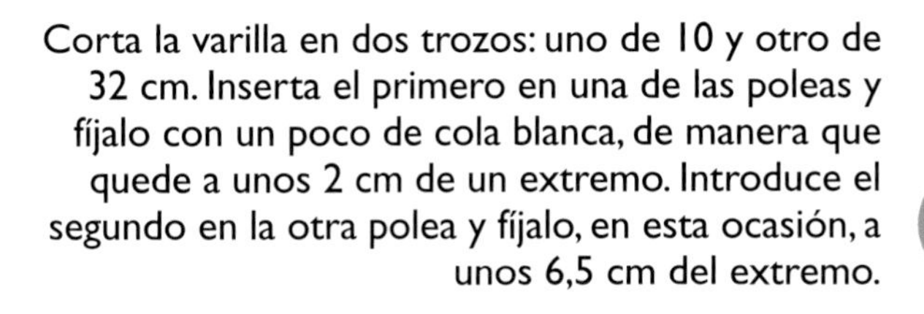

5

Corta la varilla en dos trozos: uno de 10 y otro de 32 cm. Inserta el primero en una de las poleas y fíjalo con un poco de cola blanca, de manera que quede a unos 2 cm de un extremo. Introduce el segundo en la otra polea y fíjalo, en esta ocasión, a unos 6,5 cm del extremo.

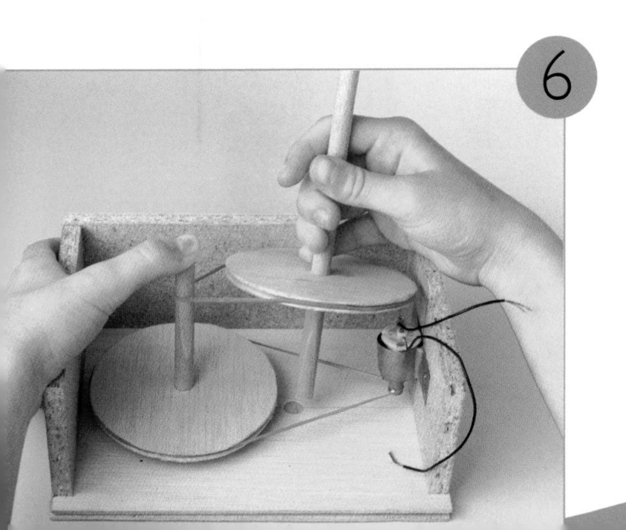

6

Ajusta la polea de latón en el eje del motor y coloca una goma elástica en cada polea de contrachapado, tal y como ves en la fotografía: la de la varilla corta debe ir a la polea de latón y la de la varilla larga a la varilla corta.

7

Pasa las varillas y el extremo suelto del cable de 15 cm por los agujeros de la plancha que faltaba por pegar, y fíjala.

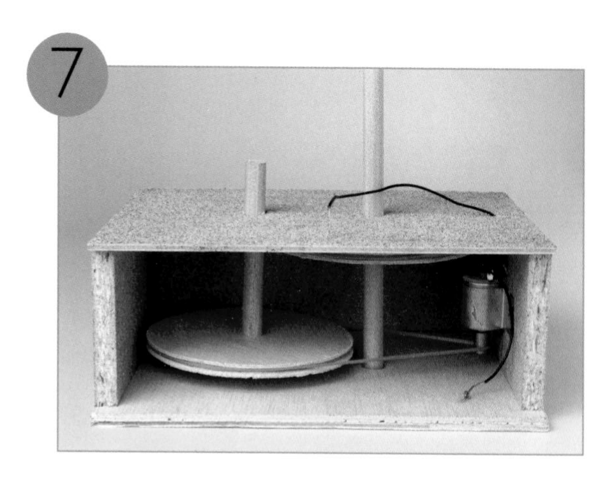

8

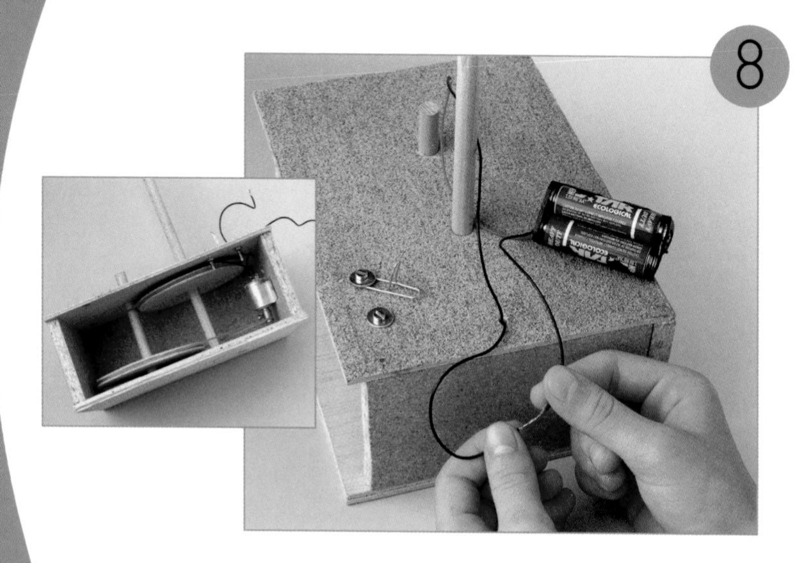

En uno de los dos agujeritos que quedan libres, introduce un tornillo, una arandela y un clip, y fíjalos por debajo después de enroscar el extremo suelto del cable de 10 cm. En el otro agujero, coloca otro tornillo y una arandela, y fíjalos, tras enroscar un cable de 20 cm. Pasa su otro extremo por el agujero cercano a la varilla y conecta los dos cables que salen al portapilas de tres pilas.

9

Para la parte superior del faro, pasa el cable rojo del clip portapilas por el agujero del círculo pequeño, conéctalo al portalámparas y fija éste con dos tornillos, en uno de los cuales habrás puesto un clip que hará de interruptor. Cerca del portalámparas, coloca otro tornillo y enrosca en él el cable negro del clip portapilas. Pon la pila y fíjala a la varilla.

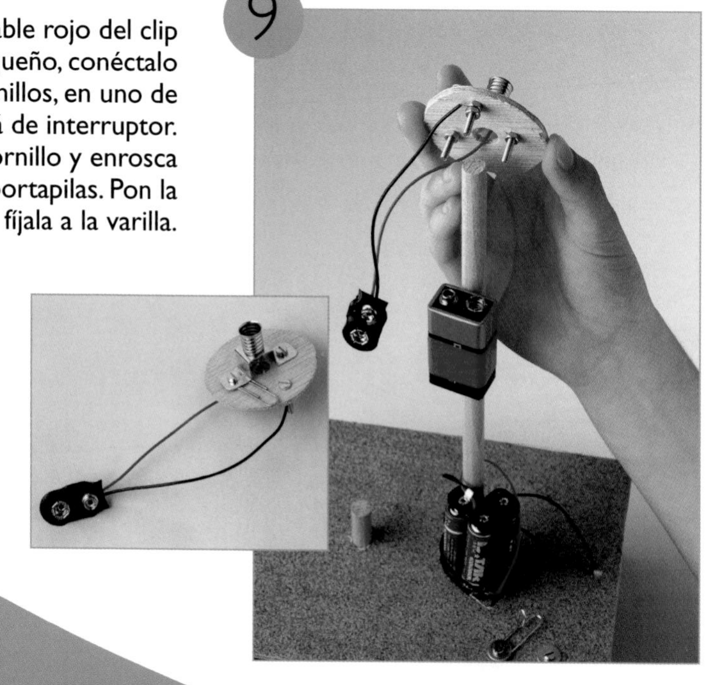

10

Coloca la bombilla, dobla la lámina de aluminio y encola en su parte superior el círculo de corcho. Encaja esta estructura en los hendidos de los tornillos del portalámparas. Para el tronco del faro, haz un cono con la lámina de corcho, fíjalo con cinta adhesiva de papel, termina de pintarlo y pásalo por la varilla larga. Pinta también el trozo de varilla corta que sobresale de la caja base.

11

Para acabar, encola una tira de corcho en el borde de los dos aros, clava alrededor de uno de ellos cuatro trozos de alambre de 5 cm, fija una tira de plástico fino translúcido en su interior, y encola encima el último círculo de corcho.

Si lo deseas, puedes pegar trozos irregulares de porexpán sobre las paredes de la base y pintarlas como si fueran las rocas de la costa.

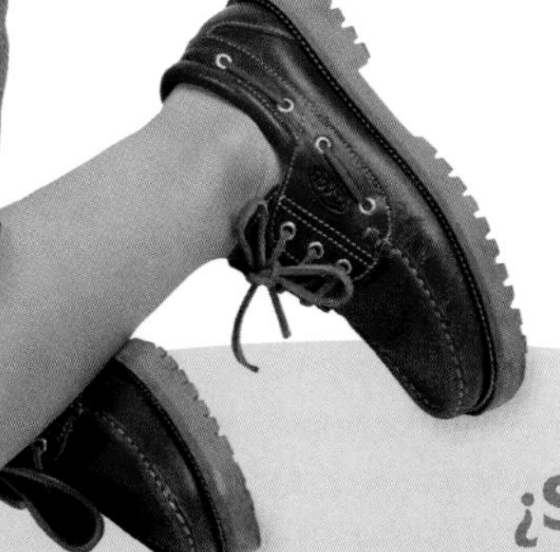

¿Sabías que...

la construcción de torres luminosas, destinadas a indicar a los navegantes la entrada de los puertos, fue iniciada por los griegos y los romanos? La torre más antigua parece haber sido la del cabo Sigeo, construida en el siglo IX a.C. a la entrada de Helesponto, en el actual estrecho de los Dardanelos.

PRÁCTICAS DE MAGNETISMO

En la actualidad, los imanes y los electroimanes nos sirven para realizar gran variedad de trabajos o actividades. Entre sus muchas aplicaciones en el campo industrial, se encuentra su uso en la fabricación de instrumentos de precisión, motores, sensores, micrófonos, altavoces, juguetes, maquinaria para tratamiento de aguas, controladores de temperatura, sistemas de pesado, dispositivos electrónicos...

También en nuestras casas nos resultan de gran utilidad, ya que gracias a ellos podemos recoger objetos, sostener materiales como clavos, agujas, clips, papeles..., e incluso mantener abiertas o cerradas puertas de armarios, neveras, etc. Por lo tanto, de una manera consciente o no, los materiales magnéticos desempeñan un papel importante en nuestra sociedad y forman parte de nuestra vida cotidiana.

IMANES

Los imanes son materiales que tienen la capacidad, además de atraerse entre sí, de atraer el hierro y/o el acero. Existen dos tipos de imanes: naturales y artificiales.

• Los **imanes naturales** son minerales de hierro con propiedades magnéticas, que se conocen con el nombre de magnetitas, y provienen de una ciudad de Asia Menor llamada Magnesia.

• Los **imanes artificiales** son los que se pueden fabricar. Para su elaboración se utiliza el hierro, el cobalto, el níquel y aleaciones de éstos entre sí o con otros materiales.

Tipos de materiales magnéticos

- **Ferromagnéticos**. Se consideran materiales ferromagnéticos el hierro, el cobalto y el níquel. Sus electrones giran, alineándose en presencia de un campo magnético exterior, e incluso su imantación permanece al separarse del campo. El material se convierte, entonces, en un imán permanente. Son permanentes los ***imanes de ferrita*** o ***cerámicos***, cuyos componentes son ferrita de bario y estroncio; los ***imanes de tierras raras***, compuestos por neodimio, samario y cobalto, y los ***imanes de álnico*** cuyos componentes son una aleación de aluminio, níquel y cobalto.

- **Paramagnéticos**. Materiales que adquieren sus propiedades magnéticas en la dirección de un campo magnético exterior, pero su imantación desaparece cuando se retira dicho campo.
- **Diamagnéticos**. Materiales con una débil magnetización, por lo que la imantación temporal se produce en la dirección opuesta al campo exterior.

¿Qué es un campo magnético?
El campo magnético es la zona que se encuentra alrededor de los imanes y donde se manifiestan mejor las fuerzas de atracción y repulsión. Estos campos se representan mediante unas líneas de fuerza que suelen ir del polo norte al polo sur. Cuanto más juntas aparecen estas líneas, más intenso es el campo.

Todos los imanes tienen dos polos: uno norte y otro sur. Generalmente, cada uno de estos polos se encuentra en una cara del imán y manifiestan propiedades opuestas. Dos polos iguales (dos polos norte o dos sur) se repelen; dos polos diferentes (un polo norte y un polo sur) se atraen.

ELECTROIMANES

Un electroimán es un imán artificial basado en los efectos magnéticos que provoca la corriente eléctrica. Cuando ésta circula a través de un conductor, se forma un campo magnético a su alrededor, por lo que si formamos una bobina enrollando hilo conductor y conectando sus extremos a una pila o fuente de alimentación de corriente continua, los campos magnéticos que se forman en cada una de las vueltas se suman en su interior, consiguiendo así un campo magnético similar al de un imán rectangular con sus polos norte y sur.

La fuerza de un electroimán depende de: el tamaño y diámetro del alambre, la forma de enrollarlo, el número de vueltas, el espacio que haya entre cada vuelta, la forma de la bobina y el número de capas.

Solenoide. Es un conductor eléctrico enrollado en forma de bobina y que tiene el eje bastante largo en comparación con su diámetro. Su fuerza aumenta cuando: *a)* se disminuye el número de capas y se conserva la misma longitud del alambre; *b)* se disminuye el espacio entre cada dos espiras y se sigue manteniendo la misma longitud de cable; *c)* se disminuye el diámetro del cilindro sobre el que está bobinado, y *d)* cuando el bobinado se realiza sobre un cilindro recto.

Relé. Es un electroimán que al ser conectado atrae una lámina magnética, permitiendo abrir o cerrar un circuito eléctrico.

Materiales que forman un electroimán

- *Hilo de bobinado de cobre.* Es un conductor de pequeño diámetro (los hay que son muy finos, menos de una décima de milímetro). Este hilo está recubierto de una fina capa de barniz que actúa como aislante, y que debe limarse para hacer las conexiones.

- *Núcleo.* En función del material que coloquemos en el interior de la bobina, el electroimán tendrá más o menos fuerza. Si cambiamos un núcleo de hierro por uno de cobre, la fuerza del electroimán disminuirá, pero si cambiamos el de cobre por uno de aire, la fuerza aumentará.

La bailarina magnética

Las bailarinas se caracterizan por su fantástico equilibrio que les permite realizar piruetas casi imposibles. Ahora puedes construir una bailarina de plástico que se sostenga igual de bien que las de verdad, y que gire con un solo punto de apoyo.

Objetivos

- Estudiar las cuatro fuerzas fundamentales: dos de largo alcance (fuerza de gravedad y fuerza electromagnética) y dos de corto alcance (fuerza débil y fuerza fuerte).
- Descubrir cómo sostener recto un objeto con un punto de apoyo mínimo.

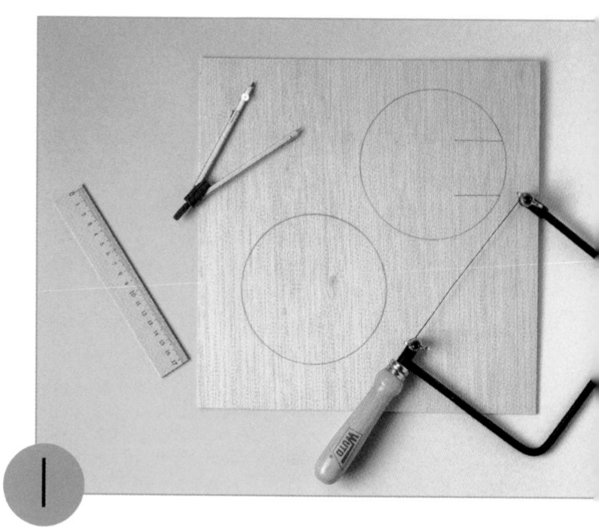

1

En la plancha de contrachapado, dibuja dos circunferencias de 13 cm de diámetro y traza, en una de ellas, dos líneas de 4 cm como ves en la fotografía. Con la sierra de marquetería, corta los círculos y realiza dos cortes de 3 mm de grosor sobre las líneas.

- *Plancha de contrachapado de 30 cm de largo × 30 cm de ancho, y 3 mm de grosor*
- *Pieza de caucho cuadrada de 15 cm de lado, y 15 mm de grosor*
- *Varilla de hierro de 72 cm de largo × 0,3 cm de diámetro*
- *Imán circular de 5,5 cm de diámetro, y 10 mm de grosor*
- *Alambre de 10 cm de largo y 1 mm de grosor*
- *Alambre fino de 40 cm de largo*
- *Plástico fino rígido, de color fucsia de 25 cm de largo × 10 cm de ancho*
- *Cuatro grampillones de 8 × 12 mm*
- *Tornillo de banco*
- *Maza de 3,5 cm de diámetro*
- *Tul de color rosado de 30 cm de largo × 8 cm de ancho*
- *Aguja para coser*
- *Hilo de color rosado*
- *Rotulador negro grueso*
- *Pegamento líquido*
- *Pintura gris plateado*

2

Dibuja y recorta con las tijeras otra circunferencia de 13 cm de diámetro en la pieza de caucho.

3

Con pegamento líquido, encola los dos círculos de la plancha de contrachapado, uno en cada cara del círculo de caucho.

4

Para dar forma a la varilla de hierro, fija una maza en el tornillo de banco, sitúa la varilla centrada, dóblala por la mitad, y luego los extremos unos 4 cm. Sitúa los inferiores sobre las hendiduras de la base y fíjalos con los grampillones. Pinta toda la estructura de color gris plateado.

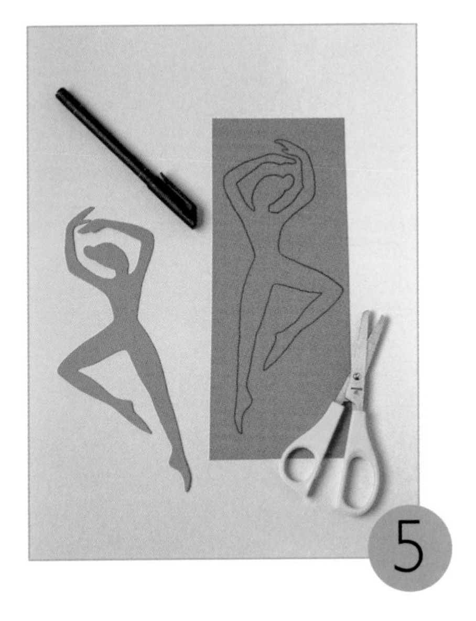

5

Dibuja sobre el plástico rígido de color fucsia la silueta de una bailarina, córtala y consigue otra silueta igual. La figura debe medir 21,5 cm de alto y unos 7,5 cm de ancho.

6

Pega trozos de alambre fino encima de una de las siluetas y utiliza el alambre más grueso para colocarlo en la parte superior. Encola la otra silueta encima y cose un trozo de tul alrededor de la cintura de la bailarina, será su falda.

Coloca el imán circular en la parte superior de la estructura y sitúa la bailarina en el centro. ¡Verás cómo no deja de bailar!

¿Sabías que...

la atracción entre dos imanes puede llegar a vencer la fuerza de la gravedad? Además se pueden conseguir muchas posiciones de equilibrio, incluso con objetos inclinados.

Una brújula para no perderse

Una brújula es un instrumento con una aguja imantada, cuya principal utilidad es señalar el norte para facilitar la orientación en cualquier punto del planeta. La que vas a realizar cuenta con una aguja de hojalata y cuatro imanes pequeños, que simulan el funcionamiento de una brújula real.

Objetivos

- Conocer las propiedades de los imanes y sus líneas de fuerza magnética.
- Aprender a manejar una brújula real.
- Estudiar el comportamiento de la Tierra como imán, para entender el funcionamiento de las brújulas.

- *Lámina de corcho cuadrada de 10 cm de lado y 10 mm de grosor*
- *Lámina de acetato transparente de 23,5 cm de largo × 20 cm de ancho, y 0,5 mm de grosor*
- *Lámina fina de hojalata de 9 cm de largo × 2 cm de ancho*
- *Varilla de madera de 15 cm de largo × 0,8 cm de diámetro*
- *Cuatro imanes de 1,3 cm de largo × 1 cm de ancho, y 5 mm de grosor*
- *Pinturas roja, marrón y marrón con textura de arena*
- *Punta de hierro de 20 mm de largo*
- *Destornillador de estrella (nº8)*
- *Rotulador negro grueso permanente*
- *Cinta adhesiva transparente*
- *Pegamento líquido*
- *Tornillo de banco*
- *Sacapuntas*
- *Tijeras*

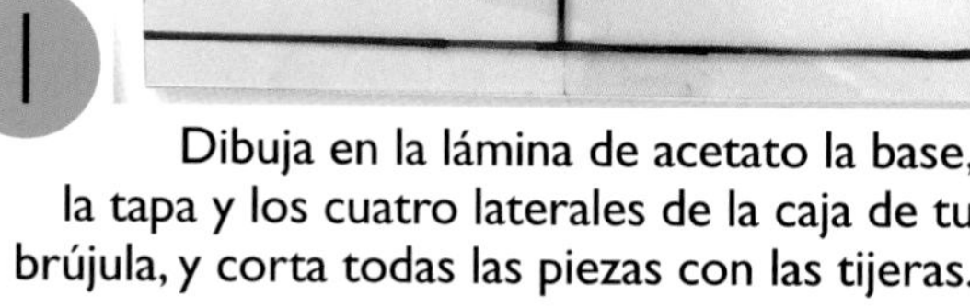

1

Dibuja en la lámina de acetato la base, la tapa y los cuatro laterales de la caja de tu brújula, y corta todas las piezas con las tijeras.

2

Realiza con barrena y destornillador un agujero en el centro de la lámina de corcho. Pinta una cara y sus laterales de color marrón, y la otra cara con pintura con textura de arena. Cuando ésta esté seca, dibuja en los vértices las iniciales de los puntos cardinales.

3

Para el soporte de la flecha (en forma de cono truncado), saca punta a la varilla de madera, corta un trozo de 2,8 cm desde la punta y un trozo de 0,7 cm de ésta. Fija la pieza en un tornillo de banco, clava una punta en el centro y, con alicates, corta la cabeza. Pinta la pieza con pintura con textura de arena y sitúala en el agujero del corcho.

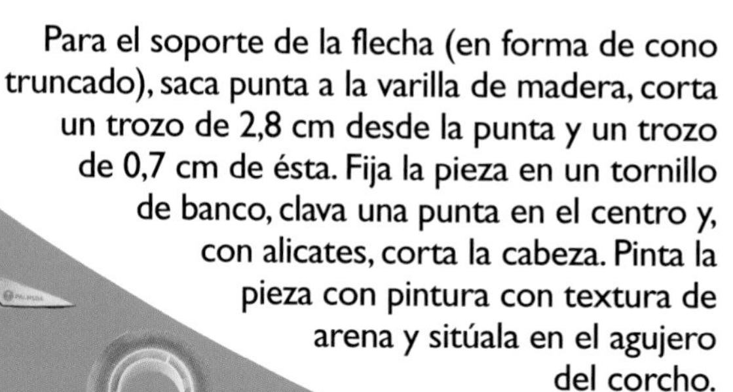

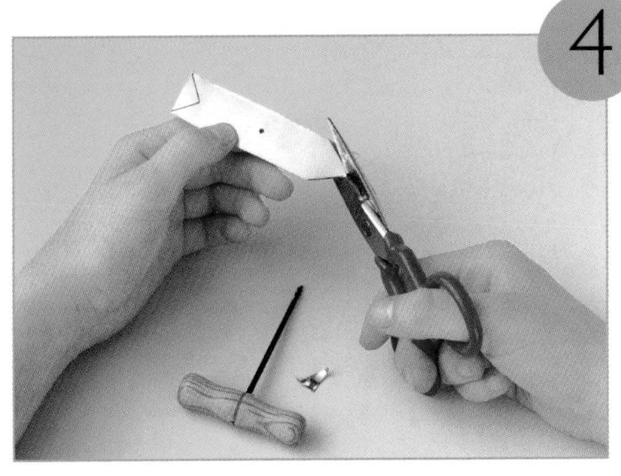

4

Corta la lámina de hojalata en forma de flecha y, con la barrena, realiza un agujero de 0,3 cm de diámetro en su centro.

5

Saca otra vez punta a la varilla de madera y córtala ahora a 1,5 cm de su punta. Con la barrena, realiza en la base de este pequeño cono, un agujerito y pégalo encima del agujero que hiciste en el centro de la flecha. Píntala de rojo y pega en su cara inferior cuatro imanes, dos a cada lado del agujero, de manera que todos estén en atracción.

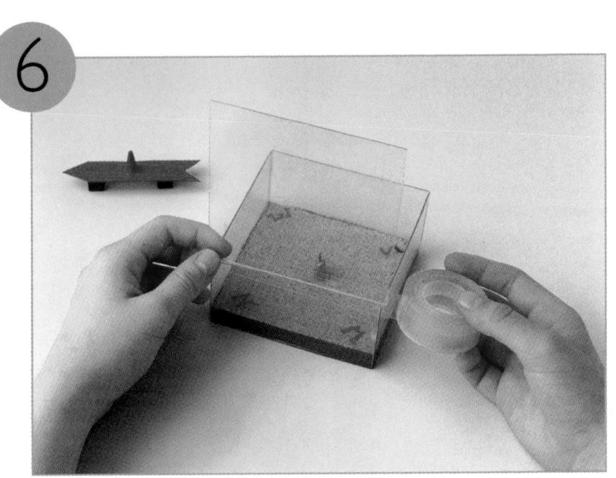

6

Construye la caja de tu brújula pegando la lámina de corcho a la base de acetato y a los laterales. Con cinta adhesiva transparente, fija la tapa a un lateral y así podrás colocar la flecha siempre que se caiga.

Coloca la flecha sobre la punta del centro de la brújula y... ¡déjate orientar por ella!

¿Sabías que...

al parecer, los chinos fueron los primeros en descubrir la polaridad del imán? Cuenta una leyenda que hace unos 5.000 años el fundador del imperio chino, Huang-Ti, ya usaba un carro de guerra equipado con una aguja imantada que indicaba el norte, y le permitía orientarse aunque fuera de noche y no hubiera luna.

Un voltímetro

Los voltímetros son aparatos que se utilizan para medir potenciales eléctricos, y que pueden ser útiles para conocer el estado de las pilas. A continuación, te explicamos la manera de construir un sencillo voltímetro, basado en los principios del electromagnetismo.

Objetivos

- Estudiar los principios del electromagnetismo.
- Encontrar el punto óptimo donde debe colocarse un bobinado para que se cree magnetismo y el imán sea atraído sin rozar, y viceversa.
- Analizar la carga de una pila y comprobar su capacidad de generar una corriente eléctrica.

- *Plancha de contrachapado de 46 cm de largo × 16 cm de ancho, y 3 mm de grosor*
- *Listón de madera de 18,5 cm de largo × 3 cm de ancho, y 15 mm de grosor*
- *Lámina de corcho de 28 cm de largo × 16 cm de ancho, y 10 mm de grosor*
- *Tubo de metacrilato de 5 cm de largo × 3 cm de diámetro*
- *Tira de cobre fina de 20 cm de largo × 1 cm de ancho*
- *Tira fina de aluminio de 18 cm de largo × 2 cm de ancho*
- *Hilo de cobre esmaltado de 8 m de largo y 0,5 mm de grosor*
- *Hilo de nailon (sedal) de 15 cm de largo*
- *Imán redondo de 2 cm de diámetro, con un agujero de 0,4 cm de diámetro (la cara pintada de blanco corresponde al polo sur)*
- *Punta de hierro de 18 mm de largo*
- *Pinturas gris metálico oscuro y cobre*
- *Cinta aislante negra*
- *Cola blanca*

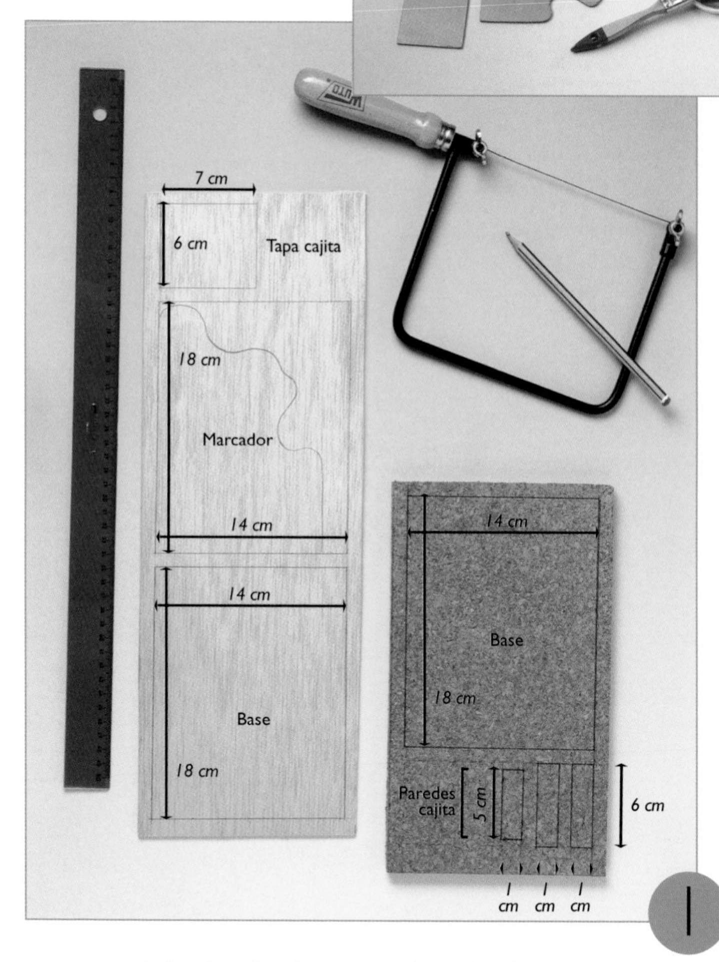

1

En la plancha de contrachapado, dibuja la base del voltímetro, el marcador y la tapa de la cajita donde colocarás las pilas; y en la lámina de corcho, otra pieza igual que la base y tres paredes para la cajita. Corta las piezas con la sierra de marquetería y pule los bordes con papel de lija. Pinta las bases y el listón de madera de color gris metálico oscuro, y el marcador, las paredes de la caja y su tapa de color cobre.

2

Después de pegar la base de corcho sobre la base de contrachapado, encola en una esquina el listón de madera y en su extremo superior el marcador, tal y como ves en la fotografía.

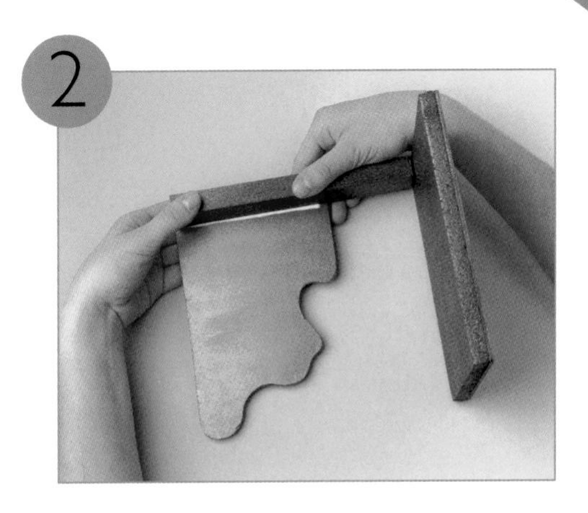

3

Corta la tira de cobre en cuatro trozos de 3 cm (contactos), dobla un extremo de cada uno y fíjalos con grapas sobre las paredes largas de la cajita que has pegado delante del listón. Para que el voltímetro te sirva para dos medidas de pila, los contactos deben estar más o menos doblados.

4

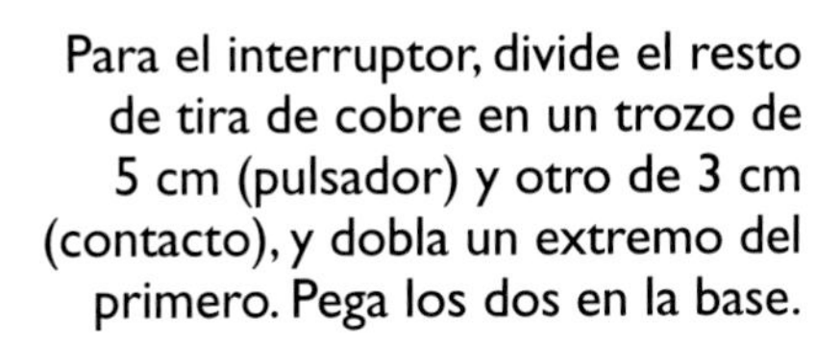

Para el interruptor, divide el resto de tira de cobre en un trozo de 5 cm (pulsador) y otro de 3 cm (contacto), y dobla un extremo del primero. Pega los dos en la base.

5

Para el fleje del voltímetro, pinta la tira de aluminio de color gris metálico oscuro y córtala en dos trozos: uno de 12 cm de largo y otro de 6 cm. Realiza un corte de 2,5 cm en el primero, corta el segundo con forma de flecha, hazle un agujerito a 2 cm de la punta y encájalo en el corte del primero. Con una punta, clava el fleje sobre el listón de madera.

Inserta un extremo de un hilo de nailon por el agujero del imán y haz un nudo. Átalo a la flecha del fleje, de manera que cuelgue unos 5 cm, y que la cara pintada de blanco (sur) quede boca abajo.

6

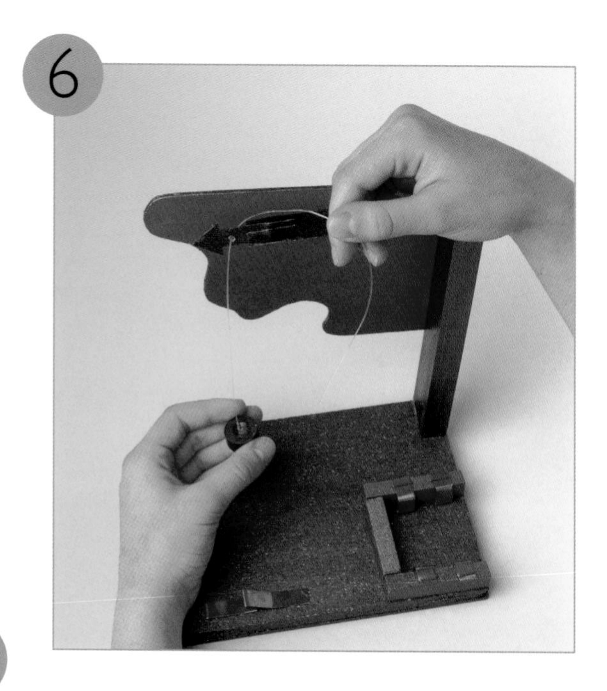

7

Corta 16 cm de hilo de cobre y divídelo en tres trozos: dos de 4 cm y uno de 8 cm. Con grapas, fija los dos primeros entre los contactos de las pilas, y el otro entre el pulsador del interruptor y el contacto de la pila más cercano.

Antes de bobinar el resto del hilo de cobre alrededor del tubo de metacrilato, realiza con la sierra de marquetería dos pequeñas hendiduras a un lado del tubo (uno en la parte superior y otro en la inferior).

8

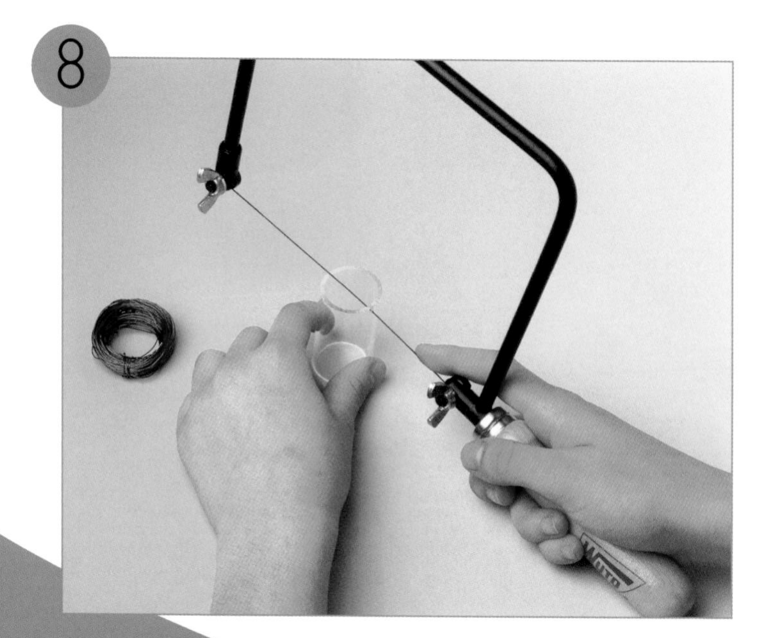

9

Deja unos 16 cm de hilo de cobre, y bobina el resto alrededor del tubo de metacrilato. Con los últimos 24 cm da una vuelta entre las dos hendiduras para que quede mejor sujeto.

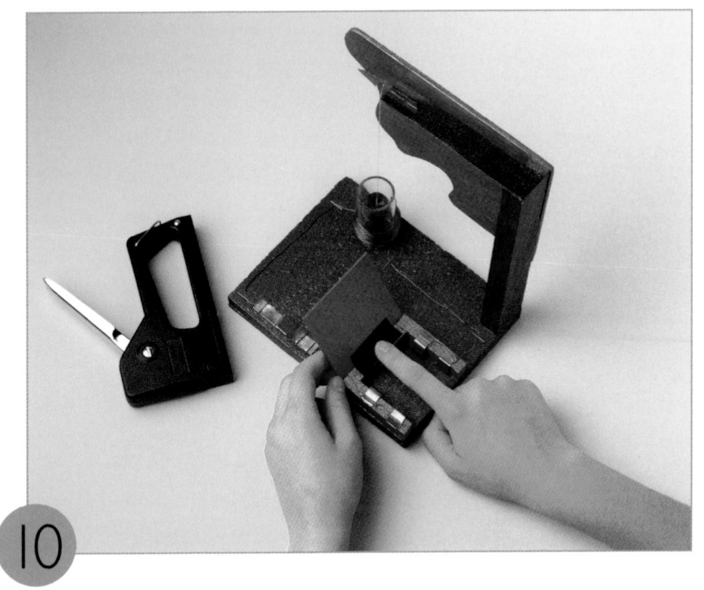

10

Pega el tubo de metacrilato a la base, de manera que el imán coincida con su obertura. Finaliza las conexiones grapando el primer extremo suelto al contacto del interruptor, y el segundo al contacto de las pilas más cercano al listón. Une la tapa a la cajita con un trozo de cinta aislante que sirva de bisagra.

Cuando la pila que coloques esté gastada, el fleje no se moverá, y cuando esté cargada, bajará. Si la flecha sube en lugar de bajar, debes girar la pila para cambiar la polaridad.

¿Sabías que...

con un voltímetro de corriente continua no se puede medir directamente la tensión en los enchufes de las casas? La corriente eléctrica que llega a ellos es alterna, y por lo tanto resulta demasiado alta en comparación con la de las pilas y baterías que se suelen utilizar.

Mi automóvil con mando

Los automóviles de todo tipo suelen formar parte de los juegos de niños y niñas desde edades muy tempranas. Ahora puedes construirte uno bien sencillo y comprobar con él la fuerza que ejercen los imanes cuando se repelen.

Objetivos

- Comprobar la fuerza magnética de los imanes, según su tamaño y composición.
- Experimentar con materiales que pueden ser atraídos por un imán.
- Estudiar las leyes físicas que determinan la atracción y repulsión de dos imanes.

- *Tres planchas de contrachapado de 3 mm de grosor: dos de 25,5 cm de largo × 11 cm de ancho, y otra cuadrada de 24 cm de lado*
- *Tablero de aglomerado de 25,5 cm de largo × 10,5 cm de ancho, y 10 mm de grosor*
- *Listón de madera de 17 cm de largo × 4,7 cm de ancho, y 17 mm de grosor*
- *Varilla roscada de 37 cm de largo × 0,4 cm de diámetro*
- *Cuatro tiras de caucho de 22 cm de largo × 2 cm de ancho, y 15 mm grosor*
- *Perfil de polietileno negro de 90 cm de largo × 2 cm ancho*
- *Cuatro piezas circulares de goma de 1,5 cm de diámetro, y 5 mm de grosor*
- *Lámina de corcho de 37,5 cm de largo × 10 cm de ancho, y 3 mm de grosor*
- *Dos imanes de 4,7 cm de largo × 2 cm de ancho, y 10 mm de grosor*
- *Cuatro tuercas M4*
- *Cuatro arandelas de 5 mm de diámetro*
- *Cuatro grampillones de 8 × 12 mm*
- *Pegamento líquido*

1

Dibuja sobre cada plancha de contrachapado el perfil de los laterales de tu automóvil, y córtalos. Pinta el tablero de aglomerado de color rojo y, una vez seco, clava un grampillón en donde irá cada rueda.

2

Corta la lámina de corcho en dos trozos: uno de 25,5 cm de largo y el otro de 12 cm de largo, y pégalos sobre los laterales, siguiendo su contorno. Píntalo todo de rojo, los cristales azules y dibuja los adornos.

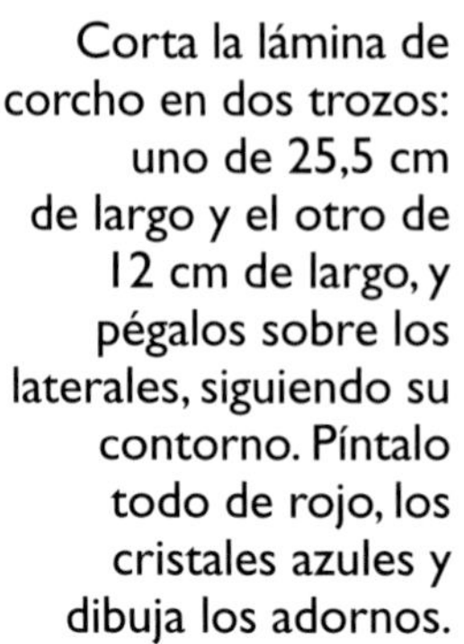

3

Después de repasar los perfiles y dibujar las manecillas y los limpiaparabrisas, pega la carrocería del automóvil a la base de aglomerado. Pinta de amarillo las cuatro piezas de goma (faros) y pégalas, dos en la parte delantera y dos en la trasera. Encola un imán entremedio de los faros traseros.

Para construir las ruedas, corta ocho círculos de 4 cm de diámetro de contrachapado (llantas), realiza un agujerito en el centro de cada uno y píntalos de gris plateado. Para los neumáticos, pega las cuatro tiras de caucho por sus extremos y encola una llanta en ambos lados de cada uno.

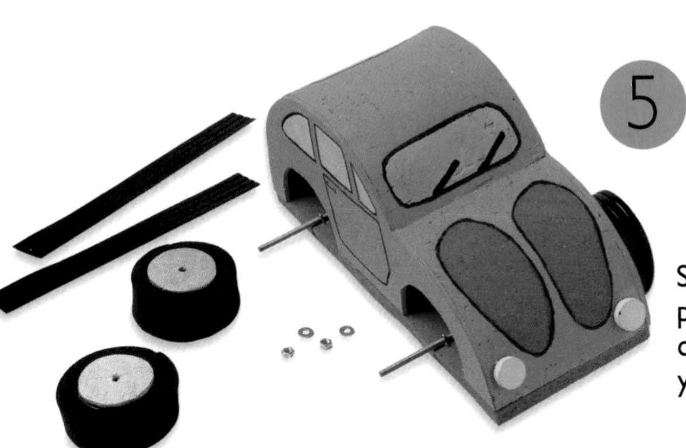

Sierra la varilla roscada por la mitad e introduce cada trozo por dos de los grampillones (ejes delantero y trasero). Fija con una arandela y una tuerca una rueda en cada extremo, y coloca una tira de polietileno alrededor de cada una.

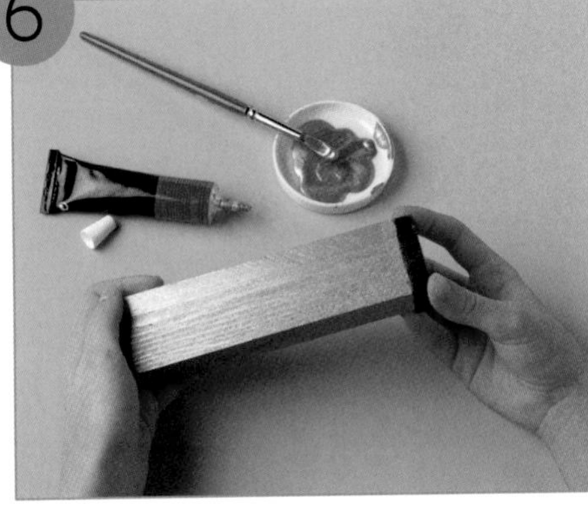

Por último, construye el mando: pinta el listón de color gris plateado y pega en un extremo el otro imán, de forma que se repela con el imán que has pegado en el automóvil; sólo así, avanzará cuando le acerques el mando.

Coloca el automóvil en el suelo y acércale el mando por su parte trasera, verás cómo avanza si lo sitúas en la posición correcta.

¿Sabías que...

los primeros vehículos datan del año 1769 y eran propulsados con vapor?
En 1860 se patentó el primer motor de explosión y en 1885 empezó a funcionar el primer vehículo con motor de combustión interna, que era una especie de triciclo, diseñado por el ingeniero mecánico Karl Benz.

Una balanza magnética

¿Sabes que existen muchos tipos de balanzas con formas y capacidades de peso diferentes? Aunque la balanza ordinaria se compone esencialmente de una barra metálica rígida con un plato en cada extremo, la que te proponemos sólo tiene un plato y su funcionamiento se basa en la atracción y repulsión de los imanes.

Objetivos

- Comprobar las fuerzas de atracción y repulsión de los imanes.
- Estudiar los diferentes tipos de balanza y su función, como instrumentos que miden las masas de los cuerpos.

- *Tablero de aglomerado de 22 cm de largo × 12 cm de ancho, y 10 mm de grosor*
- *Plancha de contrachapado de 13 cm de largo × 9,5 cm de ancho, y 3 mm de grosor*
- *Listón de madera de 24 cm de largo × 2 cm de ancho, y 10 mm de grosor*
- *Pieza cuadrada de metacrilato de 12 cm de lado y 2 mm de grosor*
- *Alambre de aluminio de color azul de 23 cm de largo y 2 mm de grosor*
- *Tubo de metacrilato transparente de 5 cm de largo × 2,5 cm de diámetro exterior*
- *Tubo de plástico de 5,5 cm de largo × 2 cm de diámetro exterior*
- *Tres imanes cilíndricos de 2 cm de diámetro, con un agujero de 0,4 cm de diámetro (la cara pintada de blanco corresponde al polo sur)*
- *Escuadra metálica para dos tornillos*
- *Dos tornillos de cabeza plana de 3 mm de diámetro y 10 mm de largo*
- *Grampillón de 8 × 12 mm*
- *Alcayata de 20 mm*
- *Lima para madera*
- *Alicates*
- *Mechero de alcohol*
- *Cola blanca*
- *Pegamento líquido*
- *Pintura gris plateado y azul*

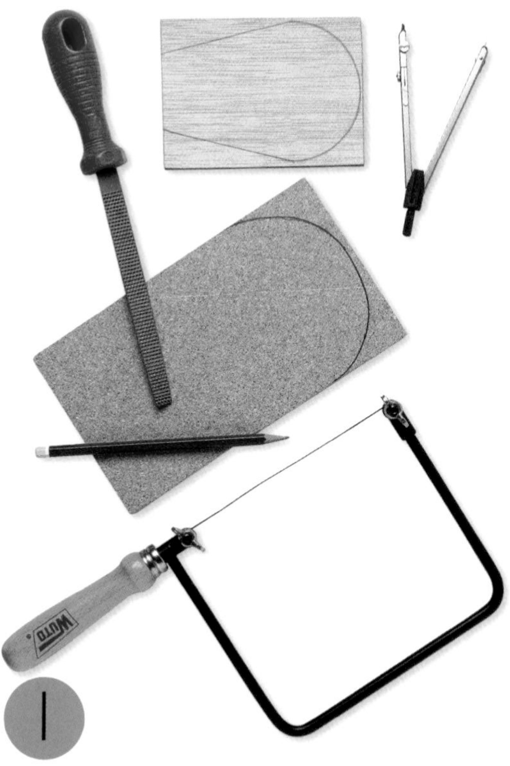

1

Dibuja en el contrachapado el marcador de la balanza, córtalo y píntalo de color gris plateado. Con sierra y lima para madera, redondea un extremo del tablero de aglomerado (base de la balanza) y píntalo del mismo color.

2

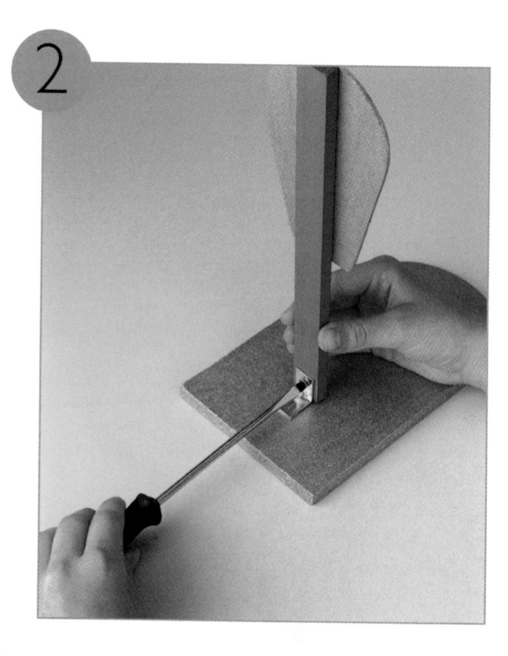

Pinta el listón de madera de color azul y encola el marcador en un extremo. Fija el listón a la base, a unos 5 cm del extremo recto, y refuérzalo con una escuadra metálica y dos tornillos.

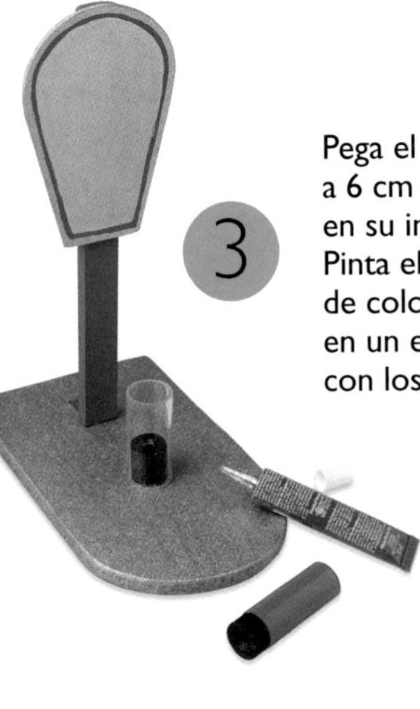

3

Pega el tubo de metacrilato en la base a 6 cm del listón e introduce dos imanes en su interior, de forma que se atraigan. Pinta el interior del tubo de plástico de color azul y encola otro imán en un extremo; éste debe repelerse con los otros dos.

Para señalar los pesos en el marcador, coloca objetos de pesos conocidos y realiza una rayita en el lugar donde apunta la aguja.

4

Para el plato de la balanza, calienta la punta del punzón y realiza un pequeño agujero centrado en uno de los lados del cuadrado de metacrilato, a 0,5 cm del borde.

5

Pega el tubo de plástico con el imán en el centro del plato e inserta un trozo de alambre azul de 12 cm de largo por el agujero. Fíjalo con los alicates y realiza un gancho en el otro extremo para sujetar en él otro trozo de alambre de 8 cm (la aguja).

Introduce el tubo de plástico del plato de la balanza en el tubo de metacrilato de la base y, con un grampillón, fija el trozo largo de alambre al marcador. Para sostener la aguja, utiliza una alcayata.

6

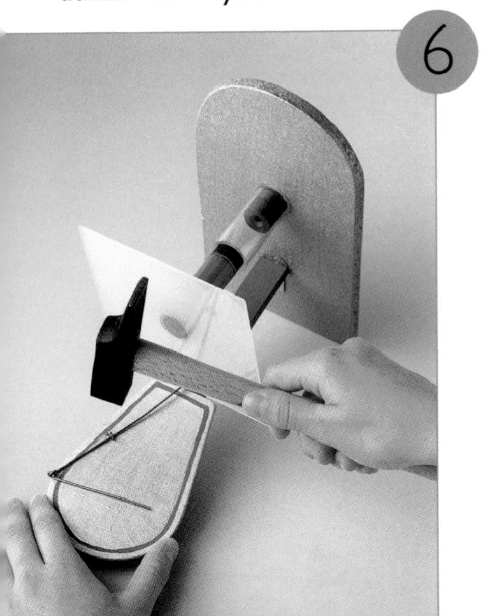

¿Sabías que...

las balanzas se inventaron en Egipto hace unos 5.500 años? Consistían en unos platillos suspendidos en un astil, y se utilizaban básicamente para pesar trigo y oro.

Un timbre electromagnético

Un timbre es un aparato de llamada que, generalmente, funciona con un sistema eléctrico y/o mecánico. Sin embargo, ahora podrás conseguir uno que funciona mediante un electroimán, que atrae el tornillo que golpea la campana.

Objetivos

- Estudiar los conceptos de electroimán, solenoide y relé.
- Comprobar que un electroimán se comporta como cualquier otro tipo de imán (polos magnéticos norte y sur) cuando es recorrido por una corriente eléctrica.
- Comprender cómo funciona un timbre y describir sus partes.

1

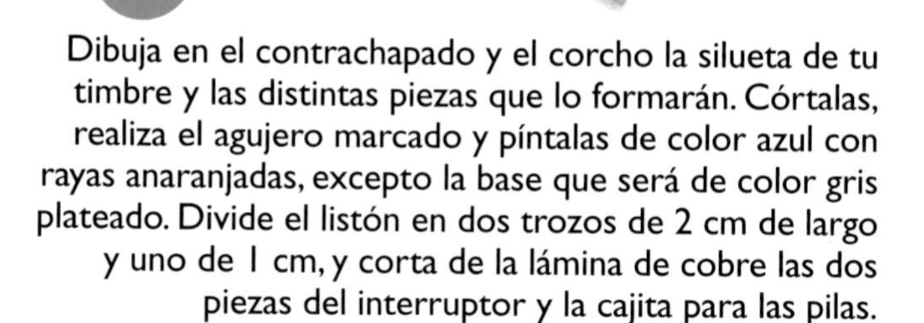

Dibuja en el contrachapado y el corcho la silueta de tu timbre y las distintas piezas que lo formarán. Córtalas, realiza el agujero marcado y píntalas de color azul con rayas anaranjadas, excepto la base que será de color gris plateado. Divide el listón en dos trozos de 2 cm de largo y uno de 1 cm, y corta de la lámina de cobre las dos piezas del interruptor y la cajita para las pilas.

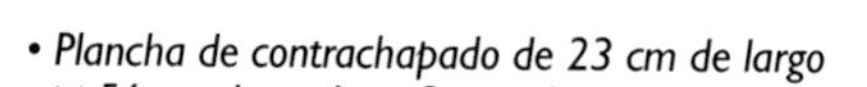

- *Plancha de contrachapado de 23 cm de largo × 56 cm de ancho, y 3 mm de grosor*
- *Lámina de corcho de 20 cm de largo × 28 cm de ancho, y 10 mm de grosor*
- *Listón de madera de 5 cm de largo × 1,5 cm de ancho, y 15 mm de grosor*
- *Lámina fina de cobre de 12,5 cm de largo × 12 cm de ancho*
- *Varilla roscada de 11 cm de largo × 0,4 cm de diámetro*
- *Dos tornillos de cabeza redonda de 2,9 mm de diámetro y 9,5 mm de largo*
- *Tornillo de cabeza plana de 3 mm de diámetro y 10 mm de largo*
- *Hilo de cobre esmaltado de 4 m de largo y 0,5 mm de grosor*
- *Clip portapilas de 9V con cable bipolar de 16 cm de largo*
- *Dos puntas de hierro de 18 mm de largo*
- *Pinturas azul, anaranjada y gris plateado*
- *Dos arandelas de 5 mm de diámetro*
- *Tornillo M4 de 30 mm de largo*
- *Destornillador plano*
- *Rotulador negro grueso*
- *Campana metálica*
- *Tuerca M4*
- *Pila de 9V*
- *Cola blanca*

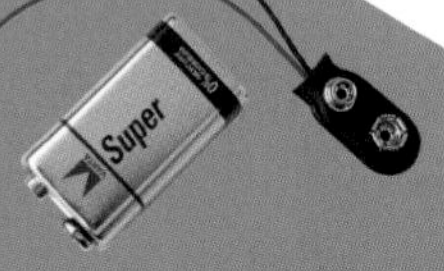

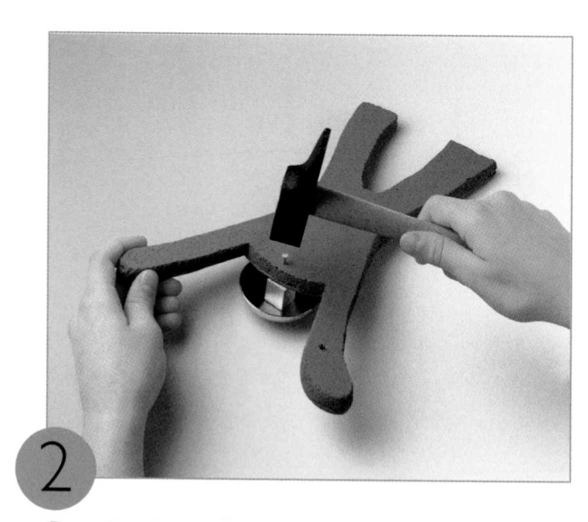

2

Pega la silueta de contrachapado sobre la de corcho, atornilla la campana en un trozo de listón de 2 cm y fija éste en la parte delantera superior de la figura, clavando una punta por detrás. Encola toda la estructura de forma perpendicular a la base.

3

Realiza un agujero en un lateral del otro trozo de listón de 2 cm y encólalo a 2,5 cm del extremo superior del brazo que no tiene agujero, tal y como ves en la fotografía.

Después de montar la cajita de la pila tal y como puedes ver en la fotografía, coloca la pila en su sitio y... ¡haz sonar el timbre!

4

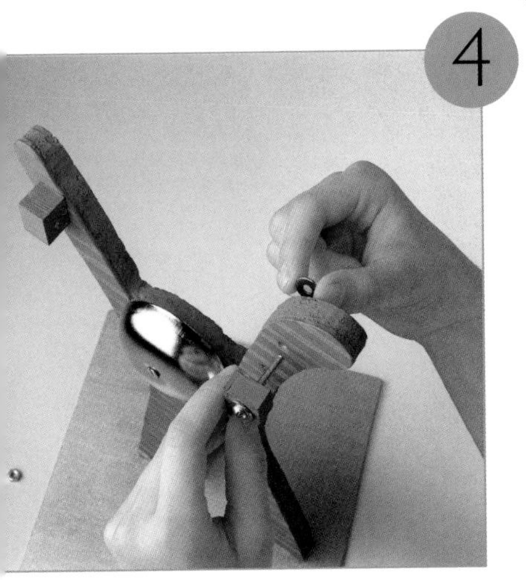

Fija dos tornillos con punta en la tira de contrachapado (a 2,5 y 7 cm de un extremo), y pégala en un lateral del trozo de listón de 1 cm. Realiza un agujero, introduce en él un tornillo sin punta con una arandela y fíjalo con una tuerca al agujero del brazo de la figura. Clava una punta a 2 cm del listón de madera (tope).

5

Para realizar el interruptor y las conexiones, corta 44 cm de hilo de cobre en dos trozos (21 y 23 cm). Pega el contacto (pieza de cobre de 4 cm) a la base y fija encima el trozo de hilo de 21 cm. Repite la operación con el pulsador (pieza de cobre de 8 cm) y el hilo de 23 cm, doblando antes la pieza unos 2 cm y pegándola delante del anterior.

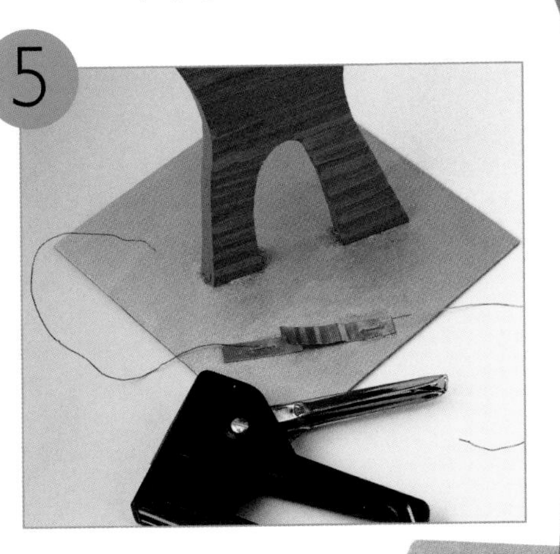

Bobina el resto del hilo de cobre en la varilla, dejando unos 10 cm libres por un extremo para conectarlo al contacto del interruptor, y unos 5 cm por el otro extemo para conectarlo al cable rojo del clip portapilas. Conecta su cable negro al hilo del pulsador y coloca la varilla en el agujero del primer trozo de listón que pegaste.

6

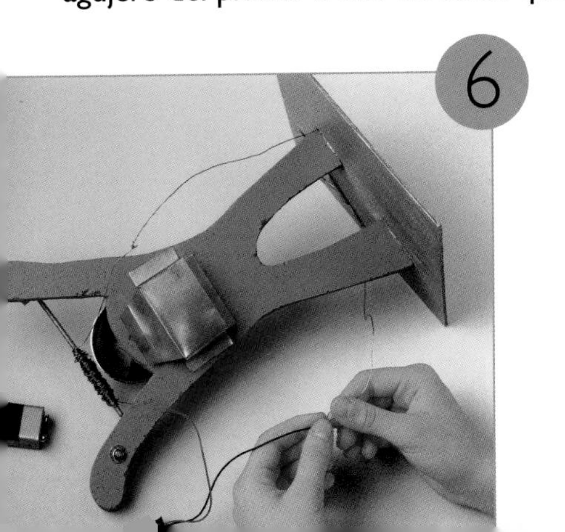

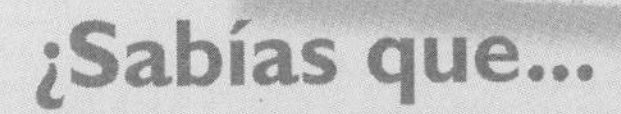

¿Sabías que...

hay distintos tipos de timbres? Existen timbres mecánicos, electromagnéticos y electrónicos. Los primeros constan de un resorte que, por inercia, provoca el repique de un martillo sobre una campana; los segundos cuentan con un electroimán que al ser conectado atrae el martillo hacia la campana; y los terceros están formados por un circuito electrónico conectado a un altavoz que produce el zumbido.

La barrera de paso

El funcionamiento de una barrera de paso es muy sencillo, ya que consta de una barra y un mecanismo que la mueve por uno de sus extremos para colocarla en posición vertical u horizontal. En esta ocasión, conseguirás una barrera muy original cuyo mecanismo se basa en el electromagnetismo.

Objetivos

- Comprobar que la fuerza de un electroimán depende de varios factores: la intensidad de la corriente, la forma en que se realiza el bobinado, su dimensión, el material del cilindro que sirve de núcleo...
- Observar la importancia del contrapeso (la pieza pequeña de la barrera, en este caso).

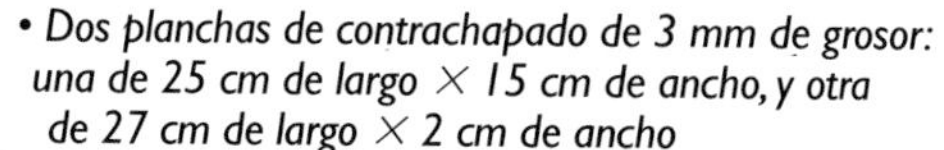

- *Dos planchas de contrachapado de 3 mm de grosor: una de 25 cm de largo × 15 cm de ancho, y otra de 27 cm de largo × 2 cm de ancho*
- *Listón de madera de 9 cm de largo × 1,5 cm de ancho, y 15 mm de grosor*
- *Tubo de metacrilato de 5 cm de largo × 3 cm de diámetro exterior*
- *Tira fina de cobre de 20 cm de largo × 1,5 cm de ancho*
- *Hilo de cobre esmaltado de 8 m de largo y 0,5 mm de grosor*
- *Hilo de nailon (sedal) de 15 cm de largo*
- *Imán redondo de 2 cm de diámetro con un agujero de 0,4 cm de diámetro (la cara pintada de blanco corresponde al polo sur)*
- *Clip portapilas de 9V con cable bipolar de 16 cm de largo*
- *Pinturas amarilla, roja, negra y gris metálico oscuro*
- *Alambre de 4 cm de largo y 2 mm de grosor*
- *Tornillo M3 de 16 mm de largo*
- *Alicates*
- *Pila de 9V*
- *Destornillador plano*
- *Cola blanca*
- *Piedrecitas*

1

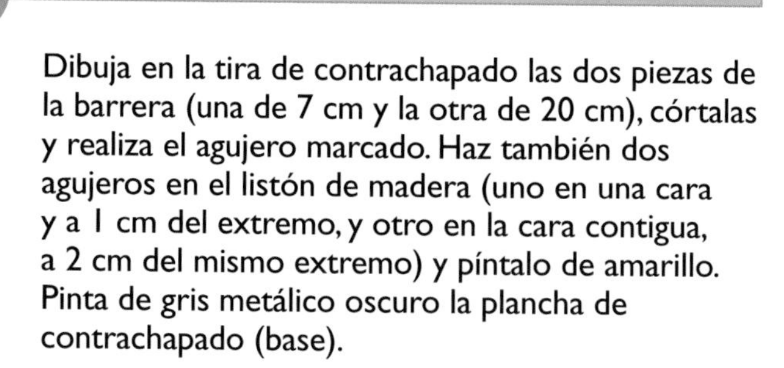

Dibuja en la tira de contrachapado las dos piezas de la barrera (una de 7 cm y la otra de 20 cm), córtalas y realiza el agujero marcado. Haz también dos agujeros en el listón de madera (uno en una cara y a 1 cm del extremo, y otro en la cara contigua, a 2 cm del mismo extremo) y píntalo de amarillo. Pinta de gris metálico oscuro la plancha de contrachapado (base).

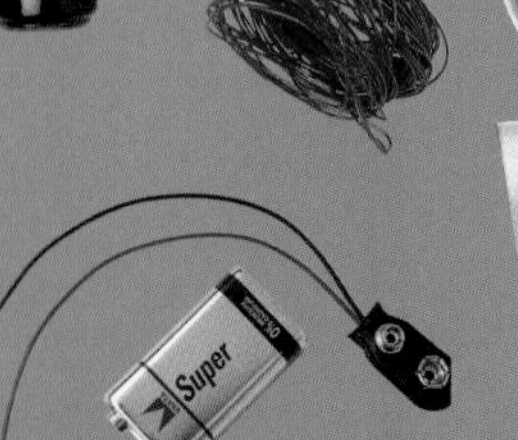

2

Para montar la barrera, pega la pieza de 7 cm en el extremo sin agujero de la otra pieza, y píntalo todo con franjas rojas y negras en diagonal.

3

Encola el listón a la base, teniendo en cuenta que los agujeros deben quedar en la parte superior. Dobla el alambre en forma de L y encólalo en el agujero que hiciste a 2 cm del extremo del listón.

4

Con un tornillo, fija la barrera en el otro agujero del listón y corta la tira de cobre en cinco trozos: dos de 4 cm de largo (pulsadores), dos de 2 cm de largo (contactos), y uno de 8 cm de largo (para fijar la pila al final). Dobla un extremo de cada pulsador y pégalos a la base, junto con los conectores, tal y como ves en la fotografía.

Divide 50 cm de hilo de cobre en tres trozos: uno de 22 cm, otro de 8 cm y otro de 20 cm. Con grapas, fija el primero entre los pulsadores, el segundo entre los contactos y el tercero entre el contacto delantero y el cable rojo del clip portapilas.

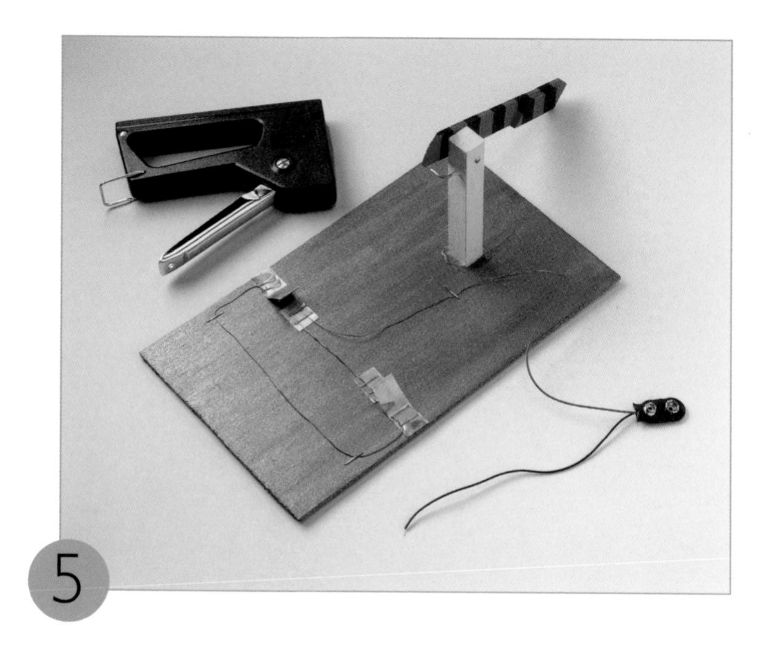

5

6

Antes de bobinar el resto de hilo de cobre en el tubo de metacrilato, deja un trozo de 20 cm que luego conectarás al pulsador delantero. El otro extremo del hilo debe conectarse al cable negro del clip portapilas. Pega el tubo de metacrilato a la base.

7

Para colgar el imán a la barrera, realiza dos hendiduras en el extremo de la barrera que está más cerca del listón y ata un trozo de hilo de nailon. En la otra punta del hilo, sujeta un imán de manera que cuelgue unos 7 cm y que la cara pintada de blanco quede boca arriba.

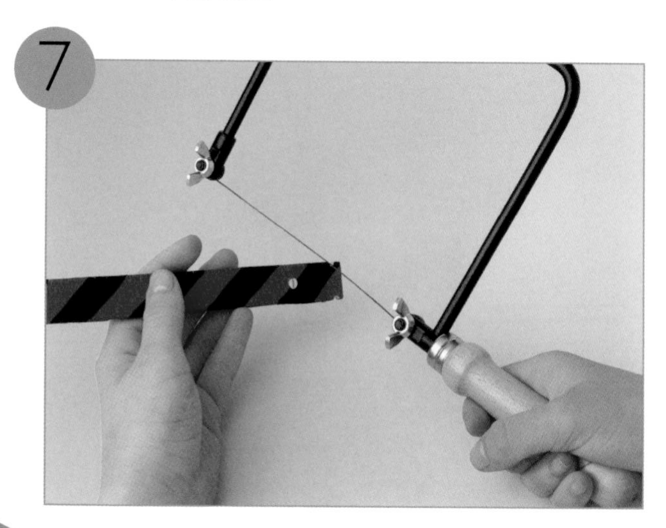

8

Construye el soporte de la pila doblando la pieza de cobre de 8 cm que cortaste en el paso 4 con la misma forma de la pila. Fija un extremo a la base con dos grapas, y el otro con un poco de cola blanca.

Conecta la pila al clip portapilas, colócala dentro de su soporte y termina de decorar la base con piedrecitas pegadas. Recuerda que las piezas de cobre de los interruptores deben quedar libres para que la conexión sea perfecta.

9

El hecho de que tu barrera tenga dos interruptores permitirá que los vehículos circulen en ambas direcciones.

¿Sabías que...

el campo magnético aumenta cuanto más pequeño es el diámetro del cilindro donde se bobina el hilo de cobre? También aumenta cuando, manteniendo la misma tensión de corriente, se bobina más cantidad de hilo. En cambio, disminuye si el bobinado se hace de manera desordenada, y desaparece si se bobina una vez hacia la izquierda y otra hacia la derecha; entonces los campos se neutralizan.

ORIENTACIONES DIDÁCTICAS

Estas prácticas de electricidad y magnetismo aportan instrucciones que, "paso a paso", conducen a la meta y/u objetivo final preconcebido. Antes de iniciar cualquier proyecto, es importante dedicar un tiempo a pensar lo que se va a realizar, ya que esto ayudará a concretar cada uno de los pasos que deben seguirse. En este volumen se incluyen una serie de orientaciones didácticas que también facilitarán el trabajo a los educadores (padres o profesionales de la educación) que ayuden a los niños a llevar a cabo los diferentes montajes.

Así pues, podemos empezar preguntándonos:

- ¿Qué tipo de proyecto vamos a realizar? (eléctrico, magnético o electromagnético).
- ¿Con qué materiales vamos a trabajar? (madera, metal, materiales eléctricos, magnéticos...)
- ¿En qué momento concreto debemos realizar cada uno de los pasos, y cuánto tardaremos en hacerlos? (establecer de antemano el orden y el tiempo de cada uno).
- En caso de que dicho proyecto lo realice un grupo, ¿quién se responsabilizará de cada paso?

Ejemplo de organización sencilla y ordenada				
Proyecto	**Pasos a seguir**	**Grupo**	**Fase inicial**	**Fase final**
Montaje	Enumeración de cada paso	Responsables	Inicio proyecto	Finalización
OBSERVACIÓN / EVALUACIÓN DEL PROYECTO				

OBJETIVOS DIDÁCTICOS

Electricidad

1. Describir y valorar las actuales necesidades de energía eléctrica existentes.
2. Valorar la electricidad como energía imprescindible en nuestra sociedad.
3. Identificar los diferentes materiales eléctricos de los que puede estar compuesto un aparato o una instalación eléctrica, y analizar cómo, cuándo y dónde deben ser aplicados.
4. Concienciarse del riesgo que supone no seguir las normas de uso, seguridad y conservación de las distintas herramientas, máquinas, aparatos e instalaciones eléctricas.
5. Comprobar que la energía mecánica se puede transformar en eléctrica y construir un motor.
6. Realizar esquemas de circuitos eléctricos utilizando la simbología normalizada.
7. Estudiar cuáles son las herramientas más adecuadas para trabajar cada uno de los materiales y aprender a utilizarlas.
8. Montar sencillos circuitos eléctricos basados en interruptores, pulsadores, resistencias, bombillitas, *leds*, motores de corriente continua...
9. Realizar conexiones (en serie y en paralelo), y empalmes.

Magnetismo

1. Relacionar la electricidad con el magnetismo y comparar cada uno de estos fenómenos.
2. Describir algunas de las soluciones que aporta el electromagnetismo a la industria.
3. Comprender el funcionamiento de los aparatos y máquinas electromagnéticas.
4. Identificar los materiales magnéticos y los no magnéticos.
5. Distinguir los diferentes tipos de imanes, y sus aplicaciones.
6. Comprender el funcionamiento de un electroimán, así como aprender a realizar uno.
7. Comprobar que la corriente eléctrica crea campos magnéticos.
8. Trabajar con imanes de ferrita, de tipo cerámico.
9. Adquirir el hábito de realizar los trabajos con orden y precisión.

OBJETIVOS GENERALES

- OBJETIVO GENÉRICO. Estimular la creatividad y el aprendizaje de unas pautas mínimas de trabajo experimental, de diseño y construcción.
- OBJETIVO ESPECÍFICO. Como primer paso para acercar a los niños a la Tecnología de una manera lúdico-creativa y "divertida" (según su propio vocabulario).
- OBJETIVO SOCIAL. Acercarlos también a la vida real, cotidiana y social del entorno en el que viven cada día.

OBJETIVOS INDIVIDUALES Y/O PERSONALES

- Observación y verbalización del montaje partiendo de los conocimientos previos del niño.
- Ordenación de la información recibida de manera sistemática.
- Hábito del uso preciso de términos científicos y técnicos.
- Conciencia de la importancia que tiene, para facilitar la comunicación, el hecho de unificar criterios al definir aparatos, materiales y procesos.
- Conciencia de la correcta utilización de los diferentes materiales que son tratados en un proceso tecnológico.
- Aplicación en otras prácticas, de los conocimientos adquiridos en la realización de un proyecto.
- Diseño y proyección del montaje que se pretende realizar.
- Construcción de un montaje mediante la realización de ejercicios de cálculo y medidas correspondientes. En este apartado, se incluye la adquisición de seguridad en el manejo de los instrumentos necesarios (regla, compás...).

Por consiguiente, con estas prácticas se tendrá la posibilidad de realizar posteriormente otro/s tipo/s de montajes.

Utilizando una amplia gama de materiales comunes, en este caso relacionados con la electricidad y el magnetismo, se aprenderán diferentes técnicas que harán posible la elaboración de proyectos más complejos, tanto en su elaboración como en su presentación final.

Glosario

Acumulador. Especie de pila que durante la carga almacena energía y la renueva parcialmente durante la descarga.
Aislante. Material que interrumpe el paso de la electricidad.
Alcayata. Clavo en forma de codo.
Alternador. Máquina eléctrica generadora de corriente alterna.
Atracción. Fuerza de algunos objetos para hacer que otros se acerquen a ellos.

Batería. Acumulador de electricidad.
Bobina. En un circuito eléctrico, componente formado por un hilo conductor aislado y enrollado varias veces. Cada vuelta de hilo se llama espira. Sirve para crear y/o captar campos magnéticos.
Bornes de conexión. Botones de metal en que suelen terminar máquinas y aparatos eléctricos, y a los cuales se unen los hilos conductores.

Cable. Cordón de más o menos grosor formado por uno o varios hilos conductores, que se emplea en electricidad.
Central térmica / nuclear / hidroeléctrica. Instalaciones donde se produce energía eléctrica a partir de la combustión de algún material; de la fisión de núcleos atómicos y de la caída del agua, respectivamente.
Conductor. Cuerpo que, en mayor o menor medida, conduce la electricidad.
Conector. Elemento que permite establecer contacto entre dos partes de un sistema eléctrico o mecánico.
Conexión. Punto donde se realiza el enlace entre cables, aparatos o sistemas.
Corriente eléctrica. Paso de la electricidad por un conductor (su unidad es el amperio, A).

Delga. Lámina de cobre que recoge la corriente eléctrica de los alternadores.
Diferencia de potencial. En un campo eléctrico, la intensidad de campo entre dos puntos del mismo, a través de un camino determinado.
Dinamo. Máquina eléctrica rotativa que transforma la energía mecánica en eléctrica.
Diodo. Componente electrónico que permite el paso de la corriente eléctrica sólo en un sentido.

Energía. Lo que puede cambiar las propiedades o los estados de las cosas.
Escobilla. Pieza conductora de cobre que sirve para establecer el contacto eléctrico, por frotación, entre las partes fija y móvil de un motor.
Escuadra metálica. Pieza con forma de ángulo recto que se utiliza para apoyar o asegurar un objeto a una pared o base.
Estator. Parte fija de un motor eléctrico.

Fuente de alimentación. Operador que suministra la tensión necesaria a cada uno de los circuitos eléctricos.

Gabarrote. Punta corta de cabeza plana.
Generador. Máquina o dispositivo que produce energía eléctrica con una tensión o corriente determinadas.
Grampillón. Pieza de hierro en forma de U, que sirve para fijar cables...

Hembrilla. Anilla metálica con un cuerpo de metal roscado.

Imán. Mineral de hierro que tiene la propiedad de atraer el hierro, el acero y en grado menor algunos otros materiales. También hay imanes artificiales para cuya fabricación se utiliza hierro, cobalto, níquel y aleaciones de éstos entre sí o con otros materiales.
Imantar (magnetizar). Comunicar a un cuerpo propiedades magnéticas.
Inducción. Producción de carga eléctrica por la acción de un flujo magnético.
Interacción. Acción que se ejerce recíprocamente entre dos o más fuerzas.
Intensidad. Grado de energía o fuerza.
Interruptor. Mecanismo que sirve para abrir o cerrar un circuito eléctrico.

Led. Tipo particular de diodo que permite el paso de la corriente en un sentido y emite luz cuando está directamente polarizado.

Motor. Máquina que produce movimiento a expensas de otra fuente de energía.
Motriz. Que genera movimiento.

Nailon. Material elástico y resistente que se utiliza para fabricar tejidos, cuerdas...

Oxidación. Capa de color rojizo que se crea sobre los metales cuando están expuestos a la humedad.

Pelacables. Instrumento que sirve para extraer la funda aislante de un cable eléctrico.
Polaridad. Tendencia que tienen las moléculas de ser atraídas o repelidas por cargas eléctricas.
Polea. Rueda que se mueve alrededor de un eje, acanalada en su circunferencia, por donde pasa una correa, en cuyos extremos actúan la potencia y la resistencia.
Polo. En electricidad, cada una de las extremidades del circuito de una pila o de alguna máquina eléctrica. En física, cualquiera de los dos puntos opuestos de un cuerpo sobre los cuales se acumula mayor o menor cantidad de energía.
Portapilas. Pieza soporte con contactos y cable eléctrico para poder colocar las pilas y conectarlo a cualquier montaje.
Potencia. Cantidad de trabajo desarrollado en una unidad de tiempo (su unidad es el vatio, W).
Potencial eléctrico. Magnitud que expresa la diferencia de tensión entre dos puntos de un circuito (su unidad es el voltio, V).
Pulsador. Interruptor de botón.
Punto cardinal. Cada uno de los cuatro puntos que divide el horizonte en otras tantas partes iguales (Norte – Sur – Este - Oeste).

Receptor. Aparato que recibe señales eléctricas.
Reflector. Sustancia o superficie que refleja especialmente luz.
Regleta de conexión. Soporte aislante sobre el cual se disponen uno o más componentes de un circuito eléctrico.
Resistencia. Elemento que se intercala en un circuito para dificultar el paso de la corriente o para hacer que ésta se transforme en calor.
Rotor. Parte móvil y giratoria de un motor eléctrico.

Semiconductor. Material cuya capacidad de permitir el paso de la corriente eléctrica disminuye al aumentar la temperatura.

Tensión. Voltaje con que se realiza una transmisión de energía eléctrica.
Terminal. Extremo de un conductor preparado para realizar su conexión.
Termoretráctil. Tubo de plástico que con el calor se retrae y queda adherido al material que se haya introducido en él.
Tornillo. Pieza metálica alargada que sirve para enroscar. Hay tornillos con punta y sin punta. El diámetro de los primeros se mide en mm, y el de los segundos se fija con la notación M, seguida con el número de mm correspondiente. El largo de los tornillos se mide incluyendo la cabeza si ésta es plana, y excluyéndola si es redonda.
Transformador. Aparato eléctrico que convierte la corriente de alta tensión y débil intensidad en otra de baja tensión y gran intensidad, o viceversa.
Transmisor. Conjunto de mecanismos que transmiten energía desde su origen hasta donde se debe aplicar.
Tuerca. Pieza hueca con su interior trabajado en espiral que se ajusta perfectamente a un tornillo.

Varilla roscada. Barra fina y larga, trabajada en espiral, en la que se puede roscar una tuerca.
Voltaje. Cantidad de voltios que actúan en un aparato o sistema eléctrico.
Voltímetro. Aparato usado para medir el potencial eléctrico.